覇権からみた世界史の教訓

中西輝政

PHP文庫

○本表紙図柄＝ロゼッタ・ストーン（大英博物館蔵）
○本表紙デザイン＋紋章＝上田晃郷

まえがき

二〇二一年一月、アメリカではトランプ政権に代わって新たにバイデン政権が登場しました。実はこれによって日本は危うい局面から脱することができたのです。思い出していただきたいのですが、二〇一七年から一八年にかけて、日本は北朝鮮情勢をめぐる国際政治の大きな変動の中で翻弄(ほんろう)され続けました。ミサイル発射と核実験を続ける北朝鮮に対しアメリカが「最大限の圧力」を加え、今にも米軍による先制攻撃が開始され、米朝開戦が現実のものとなるのでは、と多くの日本人は受けとめていました。そこで日本も「最大限の圧力」を唱えてアメリカと「共にある」ことを誇示していました。

しかし一八年に入ると事態は一転。あろうことか、アメリカのトランプ大統領は日本などの同盟国には無断で、北朝鮮の金正恩(キムジョンウン)労働党委員長との米朝首脳会談へと突然、大きく舵(かじ)を切りました。日本は、まさしく「ハシゴをはずされた」のです。――実は私は一年前から、この可能性にずっと警鐘を鳴らしてきました。結局日本外交は当時、必死になってこの新しい状況に適応しようと綱渡りを強いられました。これに対して現バイデン政権は対中強硬政策を主軸として、同盟国と一緒になって中国や北朝鮮の抑止に動いています。もちろんこれはこれで、今後どのように推移するか注視してゆく必要はあるでしょう。ただ、ある日突然、「ハシゴをはずされる」というリスクはかなり小さくなりました。

同盟国によって「ハシゴをはずされる」こと、それは日本外交史において、何度もくり返されてきた情景なのです。一九七二年の「ニクソン訪中」は、そのよく知られた事例でしょう。それによって長期政権を誇った佐藤栄作内閣は崩壊しました。

それから三十余年遡ると、一九三九年の独ソ不可侵条約が、これまたよく知られた例です。当時、日独防共協定によって「共通の敵」とされ、現に日本軍と銃火を交えていた（ノモンハン事件）敵国・ソ連と、日本の同盟国ドイツ（正式の軍事同盟である日独伊三国同盟は翌四〇年に締結）が、突如、前記の独ソ不可侵条約を結んだのです。それはまさに日本政府にとって、「青天の霹靂」でした。それゆえ、時の平沼騏一郎内閣は「欧州の天地は複雑怪奇」とうめき声をあげ、総辞職するしかありませんでした。

そこからさらに二十七年遡った一九一二年、折から進行中の中国の辛亥革命に対し、日本の同盟国であるイギリスの対応をめぐって日本側では、「日英ともに立憲君主国なのだから、イギリスは孫文(そんぶん)らの共和革命派ではなく清朝の立憲改革派を支持するはず」と考え、日本も清朝の側に立つことにしました。ところが、突如として、イギリスは共和派への支持を公(おおやけ)にして革命の支援に乗り出し、日本外交は大きな混乱に陥ったのです。そしてこのことを一因として、時の西園寺公望(さいおんじきんもち)内閣は同年中に退陣を余儀なくされました。

以上の例は、同盟をめぐる日本人の意識や姿勢の根本に、何か大きな不適応の原因があることを示しています。「同盟国なんだから、互いに誠意をもってつき合わねば」とか、「〝共通の敵〟に対しては、つねに一体となって当たるべし」といった「べき論」から出発する思考は、国際社会ではしばしば大きな不適応の原因となってきました。

また、共に自由主義や人権、法の支配といったイデオロギーや価値観を共有しているから、国益も共通しているはず、と思っていると、しばしば「ハシゴをはずされる」という目に遭うのは、国際政治の世界では、いわば常識以前の命題と言わねばなりません。正義は一つとは限らないのです。国際社会ではいわば、「国の数だけ多くの正義がある」と喝破(かっぱ)したヨーロッパの賢人がいましたが、そこまで言わずとも、いわゆる唯我独尊を強める「価値観外交」の危うさはすでに二十世紀の世界史が証明しています。もちろん今日、民主主義や人権、人道に関わる価値観は最も重要な国際社会の目標です。とくにあからさまにそうした価値観を排除しようとする共産党独裁の中国や権威主義の独裁体制を強めるロシアが台頭する現在、こうした価値観をこれまでになく大切にすることが重要になっています。ただ、それがつねに現実を動かすと考えてしまうと世界がわからなくなってしまいます。

二十世紀の世界で覇権国であり続けたイギリスとアメリカの二国は、そのアングロサクソン文化の特質として、政策の決定や選択を論じるに際して、いわば一種の「マナー」として、とくに価値観やイデオロギーに関する言葉を駆使することを迫られるのです。しかし、この両国の外交が本質として持っている「柔軟さ」もよく知っておく必要があります。そしてトランプ前政権を引き継いで中・ロへの抑止外交を明確に掲げるバイデン米政権との間で、日米同盟関係の一層の緊密化が日本にとって重要な選択となっていることを忘れてはならないでしょう。このことは、世界史における両国の国際社会での実際の行動をよく知れば、容易に納得できます。

本書は、主として英米というアングロサクソン二国の世界史における覇権の本質に関する、私の歴史評論を集めたものです。もちろん、そこではこれら諸国（及び、章によってはロシア・中国も含め）と日本との関係に最大の焦点が当てられていることは言うまでもありません。

実際、この半世紀近く、私はライフ・ワークとして、この英・米の世界史における行動の軌跡とその本質を考え続けてきました。それは、近現代の日本が、つねにこの二国との関係において、その国運の消長をくり返し経験してきたからです。

以下の各章では、一見それぞれの章の流れから、別個の話題を論じているように見えても、私の問題意識はつねにこの点に発していることを念頭においてお読みいただければ、そこに自(おの)ずから一貫したものが浮かび上がってくるでしょう。

我々は、日本人としてこの国を大切に考えるならば、つねに「世界の中の日本」であることを念頭におき、世界史が我々に教える生存のための教訓を、一日も早く国民的なレベルで身につけてゆかねばなりません。

本書が、多くの日本人に「本当の世界」を知る上で、何がしかの貢献をなし得れば、著者としてこの上ない喜びです。

二〇二一年九月

中西輝政

目次◆覇権からみた世界史の教訓

第一部　英米覇権の世界史と日本

1　パックス・ブリタニカの世界覇権と日本
――幕末維新を直撃した英露「グレート・ゲーム」

4 大英帝国の覇権の源はイギリス国教会にあり

5 パックス・ブリタニカと現代のアメリカ
――トランプには真似できない大英帝国の支配術

第二部　二十世紀の「怪物」と日本
――共産主義とパックス・アメリカーナ

6　共産主義の覇権戦略と日米戦争

第一部

英米覇権の世界史と日本

1 パックス・ブリタニカの世界覇権と日本

——幕末維新を直撃した英露「グレート・ゲーム」

イギリスとロシアの覇権争いに巻き込まれた幕末日本

二〇一八年は「明治維新百五十年」といわれ、あちこちでその歴史が語られました。しかし、幕末維新の歴史を見るとき、単に日本国内の動きだけを論じるのではなく、世界的な流れの中で見なくては、きちんと理解できたことにはなりません。

ところが、日本人の歴史認識はまったく「内向き」なままなのです。これは昭和の戦争を論じるときにも言えることなのですが、とりわけ日本の歴史学界はそうなのです。

では、この幕末維新の時期、世界史的に何が起きていたのか？　そこには単に「欧米列強のアジア進出」などという単純な文脈にとどまらない、もっと劇的な世界史のダイナミズムが働いていました。それは、**世界史では「グレート・ゲーム」**

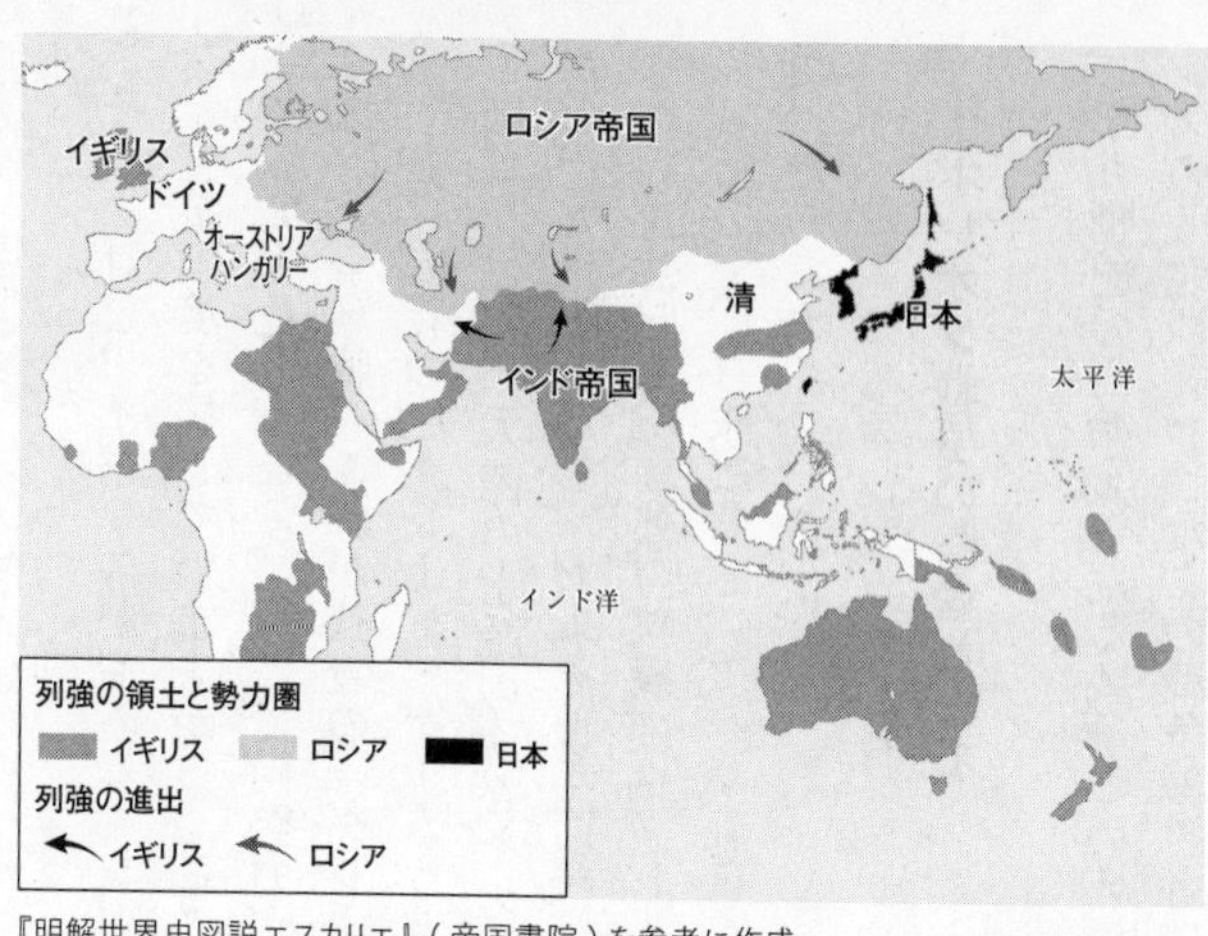

『明解世界史図説エスカリエ』（帝国書院）を参考に作成。

と呼ばれる、イギリスとロシアの二大帝国の、およそ一世紀以上にわたって地球規模で展開された激突の構図でした。

ただし、この「グレート・ゲーム」は、狭い意味で言えば、南下政策をとるロシアと、インド植民地（今のインドとパキスタンなど）の支配を堅固なものにしようとするイギリスが、主として中央アジアの覇権を争ったものです。

当時、だいたい今のカザフスタンから南の広大な領域は、ロシアにもイギリスにも属さない地政学的な真空地帯をなしていました。そこに十九世紀に入ると、ロシア帝国が南下を始め、かつてのハーン（汗）諸国、今のウズベキスタン、キルギスタンなどを勢力下に収めていきました。

それに対し、イギリスが治めるインド植民地は、北はアフガニスタン、西はイランと直接国境を接していますから、このロシアの動きを放置しておくと、即、インドの安定が危うくなる。そこで両勢力が出会うアフガニスタンをめぐり、英露が繰り広げた争奪戦、これが狭義の「グレート・ゲーム」です。

一方、広義の「グレート・ゲーム」とは、ユーラシア大陸の中心を押さえる大陸帝国ロシアと、大陸の南縁の海とその周辺の沿海部を支配する海洋帝国イギリスが、十九世紀を通じ、およそ百年間続けた世界帝国同士の覇権を懸けたグローバルな戦いを意味し、前述の狭義の「グレート・ゲーム」は、実はその一部にすぎません。そして、幕末維新も、アヘン戦争も、この広義の「グレート・ゲーム」の一端だったのです。

ナポレオン戦争の勝者として

十九世紀の開始を告げる戦争といえば、ナポレオン戦争です。一八一四年、フランスの敗北に終わったこの戦争の勝者はだれだったかといえば、一つは当初はたった一国で戦い続け、反ナポレオン包囲網を完成させたイギリス、そしてもう一つはモスクワまで攻め込まれた劣勢をはね返し、ナポレオンを最後はパリまで追撃し降伏させたロシアだったのです。したがって戦後は、英露の二カ国が世界帝国として対峙（たいじ）します。

奇（く）しくもこの構図は第二次世界大戦とまったく同じです。アメリカとソ連がドイツを倒し、戦後、冷戦の二極として睨（にら）み合いました。

つまり、これはヨーロッパ近代史にくり返される一つのパターンなのです。**ヨーロッパの内部で欧州全土の覇権を握ろうとする国が出てくると、必ず欧州大陸外の両端（つまり英・露）から強大な力が働いて、その覇権志向の国を押しつぶすのです。**

これを「くるみ割り理論」といいます。ルートヴィヒ・デヒオというドイツの歴史家が唱えた説ですが、早くは十八世紀半ば、オーストリアのハプスブルク家が覇権を握ろうとすると、ロシア軍が東から介入し、イギリスはプロイセンを支援してこれをつぶさせます。

ナポレオン戦争ではフランスが、第一次世界大戦ではドイツが、それぞれ英露双方の「はさみ撃ち」にあって倒されました。第二次世界大戦ではさらに海の向こうからアメリカがイギリスを加勢するためにやってきました。

逆に言えば、イギリスやアメリカのような海洋国家からすると、欧州全土を支配する、強力な統一欧州国家は何が何でも成立させてはならない存在だということを意味します。そこでこれをつぶすためには、ロシアの力さえ利用しようとするのです。

しかし、首尾よく欧州の覇権志向の国を東西から挟撃することに成功すると、今度は、より厄介なロシアと向き合わざるを得なくなる。これは十九世紀の「グレート・ゲーム」、そして二十世紀の冷戦を考える上で、非常に重要なポイントです。

三つの衝突点

海洋帝国イギリスが押さえていたのは、ユーラシア大陸の南縁部です。地中海からアラビア半島の沿海部に出て、ペルシャ湾、インドを陸の拠点として、マラッカ海峡を通りシンガポール、マレーを経由して、中国に至る海岸沿いが、イギリスの支配地域です。

それに対して、ロシアはモスクワ周辺から東西に膨張を始めますが、東への発展のほうが早く、十七世紀の半ば、日本でいえば四代将軍徳川家綱の時代に、すでにオホーツク海、さらにベーリング海峡やカムチャツカ半島を版図に収めています。西方へは十八世紀になって、バルト三国（エストニア、ラトビア、リトアニア）やウクライナ、ポーランドといった東欧へようやく本格的に勢力を伸ばします。つまりロシアはユーラシア大陸の北方を東西に拡張していったのです。

そして十九世紀、この二つの勢力が大きくいって三つの地点で衝突をくり返すことになりました。一つはバルカン半島です。ヨーロッパに勢力を伸ばしたいロシアにとって、バルカンこそは欧州と地中海への入り口にほかなりません。しかし、そこにはオスマン帝国があり、両国はバルカンをめぐって不倶戴天の敵となります。イギリスにとっても、バルカン半島は、地中海、中東支配、そして「インドへの道」を守るためにも死守せざるを得ない地点でした。

そして第二が中央アジアです。しかし、ちょっと考えてみると十九世紀当時は中東の石油でさえ重要視されていませんから、ましてこの地域は資源もない、人口も少ない、経済的にもメリットのない土地にすぎません。

しかも現代もそうですが、アフガニスタンというのは現地部族の紛争が絶えない「治め得ない土地」です。最近の三十年だけみても、ソ連もアメリカもアフガニスタンを制圧しようとしてくり返し失敗し、それが国を危うくするほどの痛手となってしまいました。

実は、十九世紀のイギリス人たちは手痛い経験からそのことをよく知っていて、インド総督府の事情通は「ノース・ウエスタン・フロンティア」つまりアフガン国境に至るインドの北西国境地帯には手を出すな、という常識を共有していました。

では、なぜそんなところをロシアと争い、なおかつそれが「グレート・ゲーム」なのでしょうか。それはこの地が地政学的に、大変に重要な意味を持つからです。たとえばアフガニスタンがロシアの勢力圏に入ってしまうと、脅かされるのはインド植民地だけではありません。ペルシャ湾を通して中東全域の秩序に大きな影響を与えます。

ことに当時、英露が意識していたのはイラン高原、そしてメソポタミアからパレスチナの三日月地帯とペルシャ湾でした。一八六九年にスエズ運河が開通する以前は、イギリスからインドに行くルートは、地中海からいったんシリアに上陸して、陸路で現在のイラクを南下しペルシャ湾北端のバスラに入るものでした。そして船でペルシャ湾を南下し、インドに向かったのです。つまりアフガニスタンなどの中央アジアをロシアに押さえられると、ペルシャ湾が危うくなり大英帝国の大動脈「インドへの道」が圧迫されてしまうのです。

しかも、そこからコーカサスやバルカン半島は目と鼻の先ですから、中央アジアを握れば、グローバルな勢力争いで一挙に形勢を逆転できるのです。これは昔も今も変わらぬ国際政治の常識です。

極東の激戦クリミア戦争

そして広義の「グレート・ゲーム」の第三の衝突点、それが東アジアでした。オホーツク海から、満洲、朝鮮半島そして日本列島というユーラシアの東縁も、十九世紀の英露が激しく拮抗(きっこう)した地域だったのです。

そこで重要なのがクリミア戦争（一八五三〜五六年）です。日本の教科書には大きく扱われていませんから、多くの日本人にとってはナイチンゲールが傷病兵の看護で活躍した戦争というくらいの認識かもしれませんが、クリミア戦争はヨーロッパ外交史に限らず、世界史上もきわめて重要な戦争です。

もともとこの戦争は、東エルサレムのキリスト教会の管理権問題に介入しようとしたロシアと、当時パレスチナ地域の支配者だったオスマン帝国の戦いでした。もちろんロシアの「真の狙い」はトルコの中心部すなわちオスマンの首都コンスタンチノープル（現在のイスタンブール）と周辺のいわゆる「海峡地帯」（ボスフォラスおよびダーダネルス海峡）に進駐することで、「地中海への道」を確保することでした。しかし、こうしたロシアの勢力拡張を強く危惧したイギリスは、フランスを誘ってオスマン帝国を支援、そこにオーストリアも加わり、トルコに加勢する英仏墺対ロシアという大国間戦争に発展します。まさに広義の「グレート・ゲーム」が実戦として戦われたのです。

この戦争での死者は十九世紀最大で、双方合わせて数十万人に及びます。そして世界的に普及した電信網によって、戦場の様子が逐一マスコミによって報じられた最初の戦いでもありました。

ここで私たち日本人がよく知っておかなくてはならないのは、このクリミア戦争が単にクリミア半島をめぐる局地戦ではなく、極東の日本近海やオホーツク海でも激しく戦われたグローバルな世界戦争だったということです。

イギリス東洋艦隊は、ロシア海軍を追って、インド洋や西太平洋から日本周辺を通って北上します。そして、カムチャツカ半島やオホーツク海でロシア海軍との間で本格的な戦闘を繰り広げたのです。

たとえばロシア海軍はカムチャツカ半島の軍港ペトロパヴロフスクに要塞を築い

クリミア戦争に参戦したイギリス兵　写真：TPG Images / PPS 通信社

ていましたが、一八五四年八月、イギリス・フランス連合艦隊がそれを包囲し、三度にわたって攻撃を行っています。このときの英仏の戦術は、まず港からロシアの軍艦が出て行けないように封鎖し、陸に海兵隊を揚げて、要塞を背後から攻撃するというものでした。これは日露戦争での旅順(りょじゅん)戦と非常に似ています。

こうした戦闘の中で、駿河(するが)湾の沖合や能登(のと)半島の鼻先をかすめるように、ロシアとイギリスの艦隊が追いかけっこをすることもあったのですから、そのとき、英露どちらかの艦隊が日本のどこかに上陸していたら、日本の国はどうなっていたことでしょう。ある意味では、**このクリミア戦争と同時期、すなわち一八五三**

～五四年に、たった四隻のみで日本に来航したペリーのアメリカ艦隊よりも、この英露戦争の日本への波及の方がよほど重大な脅威だったと言えるでしょう。

むしろ日本にとっては、ペリーがやってきたことが幸いしたとも言えます。当時、アメリカはロシアと友好関係にありましたし、イギリスも、カナダをめぐる米英の対立を鎮静してアメリカを味方につけたかったのです。ペリーが日米和親条約を結ぶのは一八五四年三月で、その後、通商条約交渉のためにハリスが下田に派遣されますが、アメリカが日本と交渉している間は、手を出さず様子を見ようというのが、クリミア半島で大戦争をしていた英露両国の考え方でした。

危機下における幕府外交

こうしてみると、改めて日本という国の地政学的な危うさを痛感します。北からはロシアが南下し、西からはイギリス、フランスが西力東漸（せいりきとうぜん）してきて、インド、インドシナ、そして中国を支配下に置いて日本を狙っていました。さらには東の太平洋からは、現にペリー来航のようにアメリカが西進してきて、無防備な日本を脅し強い圧迫を加えました（ペリーはインド洋経由で日本に来航したが）。日本は北、西、東、南と、まさに四方八方からの脅威にさらされていたのです。世界の近代史においても、これほど厳しい国際環境に置かれた国はほかにありません。少なくとも、同時に三つないし四つの方向から西洋列強による厳しい圧迫を受けたのは日本だけだったのです。

しかも幕末の日本は、こうした苛酷（かこく）な運命に、二百数十年の鎖国を経て、史上初めて直面したのです。その意味で、当時の江戸幕府の対応を、拙劣（せつれつ）だったとか外交的に無知すぎたと批判する声もありますが、私は一概にそうは言えないと思います。

「グレート・ゲーム」の一つの発現としてのクリミア戦争で英露が実際に交戦状態にあることを知った江戸幕府は、一八五四年十月、イギリスに対し和親条約締結を提案します。さらに翌五五年の二月にはロシアとも和親条約を結んで、両交戦国の船にともに補給には応じるという、政治的に見てたいへん戦略的な発想で厳正中立を確保しました。これは幕府としては卓抜な外交処理だったと言えるでしょう。

もう一つの英露対立の「グレート・ゲーム」が日本に直接波及したケースが、一八六一年のポサドニック号事件でした。ロシア海軍の軍艦が日本の対馬（つしま）を半年にわたって占拠し、そこをロシアの根拠地にする目的で、江戸幕府に租借を要求しようとしました。このとき、初代のイギリス駐日公使だったラザフォード・オールコックが、当時の老中、安藤信正（のぶまさ）と緊密な協議を行いました。

というのも、イギリスとしては、ロシアに対馬を押さえられたら、もう終わりです。ウラジオストックから対馬海峡を通るルート、すなわち日本海はすべてロシアのものとなり、東シナ海が「英露角逐（かくちく）の海」となってしまいます。すると、上海（シャンハイ）というイギリスの対中貿易の最重要拠点が脅かされることになるからです。

そこでオールコックは、江戸幕府のためにイギリスの軍艦を対馬に派遣して、「ロシアを追い払う用意がある」と日本に申し入れるのですが、当然ながら、その本当の狙いは、ロシアを追い払った後、イギリスの拠点を対馬に置くことにありました。

しかし、そうしたイギリスの意向を、幕府の中枢はよく見ていて、本音ではイギリスの支援がのどから手が出るほど欲しいのに、オールコックにコミットメント（委任）を与えず、我々はそれほど困っていない、イギリスが軍艦を出したいのであれば許可します、という我関せずの姿勢を貫（つらぬ）きました。幕府は、放っておいてもイギリスはロシア軍を対馬から追い払うに違いない、と見抜いていたからです。実際、イギリスの強い抗議によってロシアは対馬を手放しました。**幕末日本がまさに**

「グレート・ゲーム」に巻き込まれることを巧みに避けつつ、日本領土の侵略という、ギリギリの危機を大変したたかに乗り切っているのです。日本は昔からずっと「外交音痴」だったわけではないのです。

ユーラシアの振り子

ここで視野をグローバルに広げてみたいと思います。世界史的に見て大変興味深いのは、この「グレート・ゲーム」において、英露対立の争点がちょうど「振り子」のように、状況に応じ、ユーラシア大陸を西に東にそしてまた、東から西へと周期的に移っていくことです。

クリミア戦争で、黒海やバルカン半島におけるロシアの南下を挫いたあと、時のイギリスの首相、パーマストンは、西方で出鼻を挫かれたロシアは今度は東アジア、とくに中国を狙うだろう、といち早く予測しています。そのとき最も恐れたのは中国北部がロシアの勢力圏に入ることでした。

このパーマストンは外相時代、中国にアヘン戦争（一八四〇～四二年）を仕掛けた張本人なのですが、そのときも彼はその理由として、ロシアの中国支配を阻止す

『明解世界史図説エスカリエ』（帝国書院）を参考に作成。

るためにも「我々はどんなことがあっても中国を開国させなければならない」と考えていました。**アヘン戦争の大きな原因の一つは、間違いなく「ロシアの南下を阻止する」という「グレート・ゲーム」の大きな文脈の中にあったのです。**

実際、ロシアは一八五六年の三月にクリミア戦争を終結させると、パーマストンの予測どおり、同じ年の五月、黒竜江（こくりゅうこう）の左岸で遠い昔にネルチンスク条約（一六八九年）で清国との国境と定められていたスタノヴォイ山脈（外興安嶺）よりも南の、広大な清国の土地を強引に新たにロシアの領土とします（正式に確定するのは一八五八年のアイグン条約）。そしてこのときの国境線は今も変わっていません。

この、ロシアの予想したとおりの行動を見てイギリスのパーマストンも、同年十月、英国（香港）船籍のアロー号を中国官憲が臨検しイギリス国旗を侮辱したという事件が起こると、それを口実に現地のイギリス軍に広東攻撃を命令し、大変侵略的な姿勢でアロー戦争を始めるのです。しかし他面、これは明らかに、「対ロシア予防戦争」でもあったのです。だからこそ、パーマストンはフランスを誘い、英仏連合軍を結成し一気に北京に攻め込んで、円明園を焼き払って紫禁城を占領し、大変な掠奪までやってのけ、徹底して中国を叩いたのです。それによって、ロシアの南下を挫き中国を完全に押さえ込み、イギリスの単独支配下に置こうとしたのです。

ここで重要なのは、イギリスは中国をインドのような植民地にする気はなかったということです。自ら直接支配するのではなく、清朝の外形は残しつつ、外交的、経済的に実質上イギリスの支配下に置いて、中国を半分保護国化する。これを「インフォーマル・エンパイア」（非公式の帝国）というのですが、パーマストンがめざしたのはまさに中国をパックス・ブリタニカという「非公式の帝国支配」の傘の下に置くことでした。

こうして中国大陸への南下を阻まれたロシアは、再び南下の「振り子」を西に振って中央アジアでインドへの南下を企て、一八八五年、今のトルクメニスタンのペンディエ（現セルヘタバット）という町まで攻め込もうとします。しかしこれは大変な英露の外交危機を引き起こし、一時はイギリスの首相兼外相ソールズベリーが「ただちにバルト海にイギリス海軍を派遣して、ペテルブルクを焼き払うか」、あるいははるかユーラシア大陸の東端に振り子を振って「極東のウラジオストックを攻撃するか」という選択まで考えたほどでした。このイギリスの強硬姿勢によってロシアの南下は抑止されました。

その後、ロシアの「振り子」は再び東に振れて、極東での南下をめざすようになり、この動きが日清戦争後の三国干渉（一八九五年）となり、さらに一九〇四年に日露戦争を引き起こすのです。

さらに言えば、**なぜ第一次世界大戦は始まったのか、突き詰めて考えていくと、その大きな要因の一つは、間違いなく「ロシアが日露戦争に負けたから」となるでしょう。**

つまり日露戦争に敗北して東アジアでの南下に失敗したロシアは、その南下線を再び西に振ってバルカン半島方面に切り替え、セルビアやモンテネグロなどへの「テコ入れ」を強めていきました。こうして同じスラブ国家としてロシアの後ろ盾を得たセルビアが、ドイツと結んでいたオーストリアと強硬に対峙するようになり、それが「サラエボの皇位継承者暗殺」につながって、オーストリアと開戦したのです。そこからロシアがオーストリアの後ろ盾のドイツと開戦することになりました。日露戦争の結果、ロシアの「振り子」が西に振り返したことで、バルカンの紛争が単なる地域紛争にとどまらず、自動的に世界大戦へと発展したのです。

「グレート・ゲーム」のただなかで

話は幕末期に戻りますが、一八六〇年代のイギリスは、東アジアでのロシアのさらなる南下に備え、新たな勢力圏をその「非公式の帝国」に加えます。それが日本でした。

そもそもなぜ江戸幕府が倒れ、明治維新が起きたのか。私はその最も大きな原因は、開国した日本からの金(きん)の流出だったと考えています。オールコックが主導した日本の関税自主権の剝奪(はくだつ)により、日本の金はどんどん国外へ流れ出し、大インフレが生じます。それによって日本国内の社会秩序が崩壊したことで、各地で一気に頻発し始めた「打ち壊し」や治安の乱れが広がり、まず社会的に江戸幕府は崩壊していったと言えます。ペリー以来の開国の流れの中で日本はいきなり当時のグローバル経済の中に放り出され、容赦ない国際金融の波に翻弄されたのです。それはとりもなおさず日本をイギリス（とある部分、アメリカ）の勢力圏としてのパックス・ブリタニカの傘の下に入る「非公式の帝国」の一部として取り込む動きでもありました。

こうした不透明で従属的な日英（米）関係は、明治維新以後も続きます。とりわけオールコックの後継者、パークスは、維新政府の外交の要所要所で決定的な役割を果たしました。

その一例が、一八七五年、日本がロシアと結んだ樺太・千島交換条約です。当時の樺太（サハリン）はアイヌを中心に多くの日本人が居住する日露混住地帯でした。ところが、明治政府がその樺太をすべて放棄して代わりに千島を取ったのは、パークスの「助言」によるものだったのです。パークスは、「樺太はあきらめろ、もし日本とロシアが樺太問題で揉めてもイギリスは支援しないぞ。日本だけの力では樺太は治められないだろう」と明治政府に強く働きかけ各種の圧力を加えました。

なぜか。日本に千島を取らせることがイギリス海軍の利益にかなうからです。ロシアがオホーツク海から太平洋に出てくるのを防ぐには、千島を〝イギリス支配下〟の日本に押さえさせるのが最も安上がりでした。この対露封じ込めこそ、まさに「グレート・ゲーム」(そしてこれと酷似するのが米ソ冷戦の末期、一九七〇〜八〇年代のオホーツク海をめぐって展開された日米同盟の対ソ戦略だった）の論理そのものだったのです。

そして、この「非公式の帝国」の一員として成長した日本と結んだのが日英同盟であり、その帰結が日露戦争であったことは言うまでもないでしょう。**日露戦争の世界史的本質は、英露対決あるいは英米とロシアの対峙、すなわち「グレート・ゲーム」の「代理戦争」に、東アジアにおけるアングロサクソンの「非公式の帝国」の一員となった日本、すなわち大英帝国の従属国あるいはジュニア・パートナーたる日本が駆り出された戦争という点にあったのです。**

もちろんこれは「明治の日本外交はすべてイギリスの傀儡(かいらい)だった」という単純な話ではありません。先にも述べたように、日本は世界の強国に四方から挟まれ、強烈な圧迫を受けざるを得ない苛酷な地政学的環境にありました。その中で日本がどのように生きてきたか、錯誤や失敗も含め、その必死の努力を学ぶことこそが、真に歴史に学ぶことだと言えるでしょう。

2 世界覇権の文明史――アングロサクソンはなぜ最強なのか

ヨーロッパの田舎国が生み出した三百年続く「支配の論理」

近年、日本でも「アメリカの衰退」「覇権の終焉」などという言葉をよく耳にするようになりました。外交・軍事的にはイラク、アフガニスタンからの撤退、経済的にはリーマンショックなどくり返される金融危機と、一見、アメリカの力は後退しているように見えます。ただし、それだけで今日、明日の世界の大勢と判断するのは、性急に過ぎるかもしれません。グローバル時代を生き抜くには、文字どおり、まず「正しい世界地図」を手に入れることから始めなくてはなりません。

そもそもアメリカの覇権とは、文明的にどういう特質を有しているのか、何よりもまず、その歴史的成り立ちに目を向けなければなりません。

無敵艦隊とバルチック艦隊の敗因

　ここで、「アメリカの覇権」と表現してきたもの、それは、より正確に言うなら「アングロサクソン（英米）の覇権」ということになります。たしかに今に続くアメリカの覇権が確立したのは、第一次世界大戦から第二次世界大戦にかけての時期でした。それ以前、十八世紀の半ばに産業革命を果たし、二十世紀の初めまで世界の覇権国として君臨したのはイギリスでした。つまり現在の「アメリカの覇権」と言われるものは、イギリスのそれに取って代わって登場してきたものなのです。

　それまで覇権国の交代では、必ず大戦争が起きています。しかしイギリスからアメリカへの覇権交代においては多少の紆余曲折や対立はありましたが、大きな戦争もなく、全体としてはスムーズにバトンが渡されました。これは世界史的に見ても大変異例なことなのです。

　それはなぜか。英米両国は別々の国である――それゆえ戦争の危機をはらんだ対立もありましたが――ともに、「アングロサクソン」という一つの文明世界だからです。つまり、現在の「アメリカの覇権」と言われるものの正体は、十八世紀の初めからおよそ三百年にわたって続いているアングロサクソンの覇権の一部と見ることもできます。したがって、今のアメリカだけを見ていては、その本当の強さの理由がわかりません。

たとえば、今の米軍は世界の中で圧倒的と言える兵力、技術力を有しています。だから、そのアメリカの軍事力の優越こそ覇権国の条件だと早合点しがちですが、それではアングロサクソンの覇権の本質を見誤ってしまいます。そもそも**英国が世界の覇権を握れたのは、文化的に卓越していたわけでも、軍事的に他のライバルを圧倒していたからでもないのです。**

ローマ帝国の崩壊以来、ヨーロッパではフランス、イタリア、スペインなどラテン系の国が勢力を誇り、イギリスは長く「片田舎の島国」に過ぎませんでした。近代に入ってからも、しばらくはフランス語が外交官の必須言語であったように、外交的にも大陸側がヘゲモニーを握っていましたし、美術や音楽といった芸術から料理やファッションにまでわたる生活文化の面でも、つねにイギリスは大いに見劣りしていました（そして彼ら自身、それを受け入れていました）。

そして軍事力においても、島国であることもあって、つねに陸軍はそれほど強くありませんでした。少なくともフランスやドイツ、ロシアなどのような大陸軍国ではないのです。海軍も、世界最強を誇るのは十九世紀に入ってからで、よく言われるように海軍力が世界の強国としてイギリスが台頭した絶対的な要因とは言えません。

　では、**なぜイギリスは勝者となったのか。そのカギとなったのは、私の見るところ、三つの力によるものでした。それは、金融力、情報力、海洋力です。**

　簡単にイギリスの歴史を振り返ってみましょう。

　イギリスが覇権国家となるきっかけ、いわば覇権国に対する「挑戦者」としての地位を確立したのは、なんといっても一五八八年、スペイン無敵艦隊を破った「アルマダ海戦」です。しかし、堂々たるスペイン海軍に対し、イングランド海軍の実態は、いわば海賊の寄せ集めでした。そして、この海戦の最大の勝因は、実は、海軍力ではなく、ヨーロッパ大陸に張りめぐらせた金融ネットワークを駆使した情報工作にあったのです。

　このときスペインはイギリス侵略に向けて百三十隻の大艦隊を準備しますが、計画より一年半も遅れて出港します。その理由は軍資金不足でした。しかも、いよいよ出港のときになっても砲弾や物資の準備が整った船から先に、「五月雨（さみだれ）式の出陣」

スペイン無敵艦隊をイングランド海軍が破ったアルマダ海戦　写真：Alamy / PPS 通信社

となったために指揮系統もガタガタでした。しかし、これこそイギリスによる情報工作の成果だったのです。

イングランドの女王エリザベス一世とその指導下にあった内閣は、当時、ヨーロッパで金融業に従事していたユダヤ人のネットワークをフルに使って、「スペイン王室はすでに破産している」という噂を大々的に流させ、その結果、だれもスペインに金を貸さなくなったのです。そのうえ、スペイン海軍の中に多くのスパイを送り込み、逐一、情報を収集して、自国の防備を固めました。

宗教の力が強かった十六世紀に、異教徒であるユダヤ人と手を結ぶというのは、普通のキリスト教徒にとってなかなかできる

ことではありません。しかしエリザベス一世は、徹底した実利優先の現実主義的思想の持ち主で、典型的なアングロサクソンの政治家でした。そしてエリザベス以後も、歴代のイギリス王室はユダヤ人を優遇したために、大陸で迫害されたユダヤ人がやがてロンドンのシティに集まり、金融の一大中心地として発展していきました。とりわけ十七世紀のクロムウェルや名誉革命でオランダからやってきた国王ウィリアム三世は、ユダヤ人の大々的優遇政策を推し進め、イギリスの海外発展を加速させました。

　こうしたイギリス人の「戦い方」（ブリティッシュ・ウェイ・オブ・ウォーフェア）は、我々日本にも重大な勝利をもたらしました。日露戦争です。よく知られているところでは、日露開戦とともに巨額の戦費調達のため、高橋是清はロンドンに渡り、そこでユダヤ人の銀行家ヤコブ（ジェイコブ）・シフを紹介されます。たしかに日露戦争で日本を支えたのは、シフによる巨額の日本国債の購入でした。また、イギリスは世界の金融界に働きかけてロシアを資金困難に陥れるとともに、自らの海洋覇権を生かし、バルチック艦隊に対して、世界各地の港の利用、水、食糧、燃料などの供給も妨害したのです。イギリスの支配下にあるスエズ運河の航行も止められたバルチック艦隊は、はるばるアフリカ大陸南端の喜望峰を回って、日本海をめざすしかありませんでした。これでは日本海海戦の勝敗も半分、決まっていたようなものです。

「航行の自由」こそ覇権国の戦略

さらに、イギリスの情報重視の姿勢がよく表れているエピソードがあります。はるか昔に遡るのですが、一七五六〜一七六三年の「七年戦争」(北米では「フレンチ・インディアン戦争」とも呼ばれる)において、イギリスは北米大陸でフランスと激しい覇権争いの戦争を繰り広げました。当時、フランスはカナダからメキシコ湾に至るまで北米に広大な領土を持っていました。しかし、この戦争に勝利したことで、イギリスは北米大陸を我が物とし、後の合衆国やカナダをアングロサクソン世界の一部としたのです。この点で「七年戦争」は、まさに世界覇権の帰趨に関わる重大な戦争でした。そして、この戦争こそ、今日まで続く「アングロサクソンの覇権」の大きな画期を成した出来事なのです。従来、日本では、こうした視点からの世界史が十分に教えられてこなかったのですが、このことが、現在にもつながる日本人の世界像のゆがみの原因ともなっています。

このカナダにおける英仏の戦いのなかでもその勝敗を分けた「ケベックの戦い」、別名「アブラハム平原の戦い」（一七五九年）においては、ぎりぎりの危機に立たされたイギリスは土壇場で奇跡的な勝利を収めます。その決め手となったのが暗号解読でした。その手法は、フランスの通信文を盗み出し、暗号を解読して気付かれないように戻すという古典的なものでしたが、それによって「フランスの援軍を乗せた船がいつ到着するか」という戦況を決定的に左右する重大情報を入手したのです。

この当時、イギリス政府は、暗号解読の技術者に対し、大貴族の年収に匹敵する年俸を支払っていました。暗号解読にかけるアングロサクソンの執念は当時から凄まじいものがあったのです。この、**暗号解読によっていくつもの大戦争を勝ち抜く、というアングロサクソンの伝統は、二十世紀の二つの大戦や冷戦においても貫徹しています。その点で「暗号解読が世界史を動かす」と言っても、あながち大げさな表現ではないのです。**

こうして金融と情報を重視し、それらを互いに連動させて駆使することで、アングロサクソンは覇権を手中に収めていきました。そして、島国でもあり貿易国家でもあるイギリス（そしてアメリカ——アメリカ大陸とは、「大きな島国」なのです）

が力を注いだのが「海洋覇権」の確立です。

ここで重要なのは、覇権国、それも交易を重視するイギリス（そしてアメリカ）型の覇権国とそれ以外の国では、海洋支配に対する考え方が異なることです。それは「航行の自由（フリーダム・オブ・ナビゲーション）」への強い信奉です。

軍艦の航行範囲が、そのままその国の勢力図でもあるのは昔も今も変わりません。たしかに強い海軍に守られることで、その国の商船団は世界中で経済活動を行うことができます。しかし、**世界の覇権国家はさらに進んで、他国の船の安全も保障します。これが「航行の自由」です。それによって、どの国も自国の船を守るコストを大幅に軽減でき、覇権国による海洋覇権から大きなメリットを受けますから、その覇権を受け入れるようになります。覇権国は、それによって国際社会のリーダーシップを維持しやすくなるのです。**

現在、南シナ海などで中国が海洋進出している問題で、アメリカがくり返し「航行の自由」を守ると宣言しているのはそのためです。一方、中国のように、排他的に自国の領海を広げ自国の利益を独占し、他国の「航行の自由」を脅かすやり方は、せいぜい地域大国の域を出ない、いわば大陸国家特有の、大変「非効率」な戦略と言えます。歴史の教えるところ、それはむしろ、海洋覇権の確立とは正反対の道を進むことになるわけです。

実は、**こうした「自由と開放」の論理こそ、三百年近くも続くアングロサクソンの覇権の最も核心にある秘密なのです。**自由を保障して広く門戸を開けば、周りから人々が集まり、その場を主宰する者に大きなパワーが生まれる。それが、近代のイギリスが発見した「支配の哲学」でした。

ＷＴＯ（世界貿易機関）やＩＭＦ（国際通貨基金）などの国際経済を運営するシステム、主要な港湾やハブ空港、近くはインターネットの開放など、英米主導で金融や交通、情報のインフラ・制度が整備されると、そこに世界中から多くの利用者が集まります。その参加者が増えるほど覇権も強固になり、さらに増幅していくのです。近代世界史上、ざっと二百五十年以上もの長期にわたり、英米の覇権が続いた大きな要因の一つがこれでした。

興味深いのは、現在の中国が金融面においても、アングロサクソン流の覇権を真似しようとしている点です。二〇一五年に、アジアのインフラ整備に融資する国際金融機関アジア・インフラ投資銀行（ＡＩＩＢ）を発足させ、同じ年ＢＲＩＣＳ五カ国（中国、ロシア、インド、ブラジル、南アフリカ）は、中国の主導で、世界銀行に代わる「新開発銀行」（いわゆるＢＲＩＣＳ銀行）を設立しました。もちろん、人民元の国際通貨化も緒についたばかりで、今すぐIMFの向こうを張るにはまだまだ早いと言えるでしょう。何より「参加することが他国にも利益になる仕組み」という肝心の発想を、これまで自己中心的な発想で「途上国のメンタリティ」に浸っていた中国が身につけるには、相当の時間がかかることでしょう。

理念の民主主義、パワーの民主主義

こうしたアングロサクソン的な覇権の仕組みは、教育などにも表れています。英米ともに国内の初等・中等教育は必ずしも成功しているとは言えません。むしろアジアや北欧のほうがレベルは高いでしょう。ところが、大学となると世界ランキングの上位は英米が独占します。それは恵まれた教育環境を提供して、世界中から優秀な留学生を集め、高い研究成果を生み出しているからです。

こういうと、たとえば「英米系が強いのは、言語の問題が大きい。英語が強いのは英米が覇権国だからだ」という反論があるかもしれません。しかし、私は少し違う考えを持っています。英語が世界で最も多く使われるようになったのは、たしかに英米の覇権の影響も少なくないでしょう。しかし同時に、英語という言語の特質の中に、アングロサクソン文明がなぜここまで覇権を保ち得たかという理由も潜んでいるように思います。

英語がこれほどまでに世界中で使われるようになったもう一つの理由は、やはりとても簡単な言語だからです。フランス語やドイツ語、ロシア語などを学んだ人ならすぐにわかると思いますが、英語には単語の性別もなく、文法もシンプル、発音にも明確な原則はありません。しかも、ブロークンに話しても、意味さえ通じればあまり問題にされません。徹底して実用本位なのです。英語を母国語とする人たちもアメリカ訛り、オーストラリア訛り、ロンドン訛り、と相当にブロークンなのです。フランス語ではこうはいきません。文法や発音がおかしい人間は何かしら田舎者あるいは粗野な人と見なされますから、同じようには相手にしてくれません。

つまり、英語がここまで世界に普及した一因には、英米が長く世界の覇権を握ってきたということとともに、英語そのものの柔軟性や実用性がずば抜けて高かったことも大きいのです（その傾向は、グローバル化の進展とともに世界中でさらに広く使われることで、近年一段と増しているように思えます）。

この徹底した実用重視、かくあるべしという理念よりも「ものの役に立てばよい」という徹頭徹尾、現実重視の姿勢こそ、アングロサクソン文明の最大の強みと

も言えるでしょう。

これは、言ってみれば一種の「居直り」です。先にも述べたように、かってイギリスはヨーロッパの田舎者的な存在でした。しかし、イギリス人はいつ頃からか、その時代の正統派に近づこうとするのではなく、「自分たちは自分たちだ、それで何が悪い」と居直って、開き直り、独自の道を歩き始めたのです。

イギリスが誇る議会政治も、実はこの「居直り」の産物でした。今でこそ、議会制民主主義は世界中で高く評価されていますが、十八世紀初頭、イギリスが本格的に議会制を始めた頃には、当時の先進ヨーロッパ諸国の常識からすると何とも珍妙な制度で、フランス人やドイツ人は「議会が主権を持つなんてうまくいくはずがない」と嗤(わら)っていました。

当時、大陸は絶対王政の時代です。相続によって正統と認められた王を戴き、その下にエリート官僚が統治を行い、すべての決定権が王に集中している絶対王政のほうが、理念的にも合理性の面でも完成度の高いモデルでした。

一方、イギリスも絶対王政をやってはみたのですが、それによって内乱や血なまぐさい軍事独裁（クロムウェル独裁）、おまけに国王の裏切りによって外国に占領されそうになるなど、うまくいかなかったのです。そこで、統治権の半分は王様が持ち、あとの半分はみんなの言い分を聞いて決める仕組み、つまり立憲君主制という名の下の議会制を取らざるを得なかった。これは当時の理屈から言うと、いわば折衷案で、まったく筋の通らないところがある珍妙な政治体制でした。しかしイギリス人は理念や理屈よりも、つねに必要と実用を優先させたのです。

日本人はよく誤解しがちなのですが、**アングロサクソンにとって民主主義は理念ではなく、パワーなのです。多数の意見によって決定した政策には、それだけ自発的に従う者が多いから、上意下達の体制よりもより強力に推進できる、といった発想が原点にあるのです。**この「パワーとしての民主主義」こそ、先に述べた「自由と開放」の覇権の論理そのものなのです。みんなが自発的に参加する枠組みをつくることで、各国と各民族のパワーを集め、さらに多くの国の自発的な参入を促し、その各々の力を糾合して世界を統治していく。それがアングロサクソン流の覇権力学です。それが理屈的には正しいから、というよりも、むしろそのほうが効率がよいから、ということに、より多くの力点があったのです。

この、大陸的理念主義とアングロサクソン的現実主義の違いは、法体系にも表れています。ローマ法以来、大陸ヨーロッパの国々が理念と条文を重んじるのに対して、英米法は目の前の揉めごとを解決できることが大事なので、実際に効果があるとわかっている慣習や先例などが重んじられます。英国に成文憲法がなく、米国には合衆国憲法があっても、修正条項で柔軟に変えてしまうのも「目の前の現実に合わせて法律があるべきだ」という考えの表れです。この点で、現在の日本人の、たとえば憲法をめぐる「解釈改憲は絶対いけない」という批判などは、英米人にはおそらく理解不能なのではないでしょうか。これは、どちらが正しい、といった問題ではないのです。

そもそもアングロサクソンの文明では、人間をあまり高尚なものと見ていません。そして、人間の金銭欲のように、理想的な高尚さを重んじる見地からは卑俗にも思える欲望も決して軽視しません。そもそもイギリス国教会がローマ・カトリック教会から離れたのは、よく知られているように、ヘンリ八世の離婚問題が原因でした。**生身の低俗な人間に合わせることが、一番生命力豊かな制度をつくる、という考えが根底にあるのです。**

アメリカの〝三つの顔〟

ここまでアングロサクソン文明全体の特色を述べてきましたが、実はアメリカは少し違った面も持っています。もともと厳格で潔癖なピューリタン（清教徒）が未開の土地に入植してつくった国ですから、寛容さに欠け、外交的にも経済的にも孤立主義を取る傾向が強かったのです。しかし、そこは「血は水より濃い」という通り、二つの大戦を経て、もともと「支配の哲学」という点では根を同じくするイギリスから、覇権国としての「教育」を受け、今のアメリカになったと言えます。

そのため、「覇権国としてのアメリカ」には三つの顔があります。まず一つはアングロサクソン的現実主義。二つ目はグローバル・スタンダード的な基準を持ち出すローマ帝国的な普遍主義。そして三つ目は、十六世紀から十七世紀に絶頂を迎え、世界中に宣教師を送り出し、世界のキリスト教化をめざしたスペイン帝国のような偏狭なイデオロギー的覇権主義です。

冷戦時代、反共主義にこり固まってドミノ理論を掲げ、海外での軍事介入に突っ走ったベトナム戦争、初めに「新世界秩序」「民主主義のための戦争」などと大言壮語した湾岸戦争やイラク戦争など、アメリカがローマ的、スペイン的になると、往々にして失敗します。しかし、そういう失敗や挫折に直面し窮地に追い込まれると、「アングロサクソンのＤＮＡ」が働きだして、目の前の問題を解決することだけに集中してプラグマティズム（実際主義）に徹して形勢を立て直すのです。そのためアメリカの国策は振り子を大きく振るわけです。これがイギリスとはやや異なる、アメリカ型覇権の一つのパターンと言っていいでしょう。

最後に、アングロサクソン文明の「秘中の秘」ともいうべき特徴を論じたいと思います。**それは「偽善」です。前に触れたアングロサクソンの「自由と開放」も、みんなの利益を尊重しているように見えて、実際には自分たちの利益の最大化につながるよう巧妙に仕組まれています。**だれであれ自己利益の極大化は当たり前のことですが、アングロサクソンのモラルでは、それを露出させてはいけないのです。とにかく、「隠す」ことが大切なのです。だから、普遍的な価値観が、ことさら強調されるわけです。

また、あるべき外交を論じたハロルド・ニコルソンの有名な『外交』という本にもあるように、アングロサクソン流の外交は、厳しく嘘を戒めますが、それは必ずしもモラルや価値観に基づくというよりも、正直がかえって「得をする」という功利主義、あるいは最も適切なタイミングで絶妙の嘘をつき、その効果を最大にするために、ふだんは嘘をつかず信用を高めておけというのです。

さらに言えば、アングロサクソンの覇権主義に見られるエリート主義を見落とすわけにはいきません。先年、アメリカ国家安全保障局（ＮＳＡ）による世界中の通話やメール、ファックスなどの無断傍受を暴露したスノーデン事件が起こりましたが、私が最も興味をおぼえたのは、アメリカが同盟関係国を三分類し、自国と共有する機密情報のレベルを三段階に区別していたことです。最も重要性が低いのは、日本など同盟国と共有する情報。最重要の情報は、自国だけで使うものです。そして、その中間に、イギリス、カナダ、オーストラリア、ニュージーランドの「ファイブ・アイズ」と呼ばれるアングロサクソンの五カ国だけで共有する機密情報というカテゴリーが設けられていたのです。そこにはアングロサクソンの結束による世界最強の情報覇権の実態と〝血は水よりも濃し〟という彼らの本音がうかがえます。

日本としては、こうした一筋縄ではいかない国が同盟相手であること、しかもその覇権は「自由と開放」という優れた戦略によって支えられ、さらにそれは、その偽善的なレトリックの巧みさも含め、深くアングロサクソンとしての歴史と文化に根ざしたものだということを念頭に、これからの国家戦略を定めていく必要があるのです。

3 イギリスの知恵と「悪知恵」

——早く見つけ、遅く行動し、粘り強く主張し、潔く譲歩する

1 「知恵」の時代

「知恵」という語は、日本語では知性とか知能という言葉と比べやや冷遇されているように見えます。とりわけ国の政治や外交、あるいは企業など大きな組織の経営や、歴史の舞台がかかわるような大きな文脈では、なぜか「場違い」であるかのように使用が避けられます。

一方、今日、日本では各種の「戦略もの」が好んで広く読まれているようです。それは言うまでもなく、国家や企業の運営をめぐる実践的指針に対する強い渇望や模索が存在するからでしょう。

しかし、思うに、時代の流れが混沌とし、未来がとくに不透明に感じられる時、体系だった新たな「戦略理論」や長期目標を考える前提として、まずもって「知

恵」の視点が不可欠なのではないでしょうか。少なくとも、人間的側面への考察を欠いたマニュアル、あるいはシナリオとしての「戦略」というものは、本来役に立つ局面が限られたもののように思われます。

日本人が政治や組織の運営にかかわる長期方針を過度に求めようとするのは、もしかしたら太平洋戦争の経験から来る一種の「破滅コンプレックス」のなせるわざかもしれません。「このまま行くと……」という未来への不安が条件反射化された心理は、戦争経験のない世代にも受けつがれ、過度に見通しのよい――従って、細部を閑却しがちな――「戦略」をしきりに求めさせることになるのです。

それはまた、「高度成長」戦略の後遺症でもありますが、世界はつねにそう見通しのよい場ではないので、ないものねだりのこの渇望は、いわば「ミッドウェー症候群」とでも呼べるような、**「成功」の後の逆転的破滅への不安感から、とかく視野狭窄（きょうさく）を伴いやすい「現状維持への執着」が今日の日本において、外交や経済をめぐる論議に一つの基調をなしているように見えます。**

しかし見方を変えれば、こうした現象は過去に、ヨーロッパをはじめとした諸国の歴史においても、その衰退期によく見られたもので、海図のない海原を「成功」を保持しつつ進むことの難しさは、そうした歴史においてもくり返し痛感されてきました。そのような時代、人々は「国家目標」や「戦略」を意識的に探し求めますが、そのうちに、そうしたものの基底にあって、それらの発見や、実践の上で不可欠な、我々自身の姿勢や事物のとらえ方を求めるようになってゆきます。「イギリスの知恵」とは、そうした関心と試みの集積であったといえるでしょう。

つまり、哲学というには実践的で、非体系的なのですが、「戦略」というには、もっと深く人間的、精神的側面にかかわる「知恵」というものが、まずもって求められ、それが時代を経て洗練され、継承されてきたのです。そういう「知恵」こそが、長期にわたる「不確実さ」の中での選択や進路を考える際の、不可欠の前提であると考えられてきたからです。

英語の「知恵」wisdomという語には何かしら〝高貴な語感〟があるように感じられます。けれども実践的で同時に深く歴史の流れを見きわめ、政治や経営の営み、国際関係への対処などの面で、何らかの指針やヒントを求めようとする関心から、多くの人々が「イギリスの知恵」に時に目を向けるようになるのは、単にそうした語感のせいだけではありません。

実際、大国としての役割を意識し始めた二十世紀初頭のアメリカにおいて、外交や対外戦略を考える有識者たちは、イギリスのこれらの面での歴史的な「知恵」について熱心に学ぼうとしました。どういう訳か、後のアメリカ人はこの点についいて、歴史家も含めてあまり言及しなくなりましたが、同時代の評論や書物の中に、こうしたアメリカの関心を明瞭に示すものが多く残っています。

アメリカ人がこうして「イギリスの知恵」に目を向けつつあった頃、十九世紀末のイギリスの有名な政治学者でアメリカ駐在大使も務めたジェームズ・ブライスは、産業革命や民主化を論じつつ、「学問や科学の進歩はけっして政治における人間の知恵を高めるものではない」と言いました（傍点筆者）。もちろんそれは、イギリスの知恵とは言っても、イギリスにおいてあらゆる時代、あらゆる人々によって実践されたわけでもなければ、その実践があらゆる場合に成功をもたらしたわけでもありません。「知恵」とは本来そうしたものであるはずがないのです。

それにもかかわらず、ブライスがこのように語っていた頃、「イギリスの知恵」は、政治や植民地経営、外交や対外経済など、「大英帝国」のさまざまな活動の領域で、実務に携わる人間にとって一つの知的・実践的行動の基準として、かなりはっきりとした形をとった「行動の学」というふうに意識されていたといえるのです。

ここで、この「イギリスの知恵」を分析――「知恵」を分析する、とはすこぶる自家撞着（じかどうちゃく）的な試みに聞こえますが――するに際し、それが生み出されてきた四つの背景についてまず考えておくことは、あながち無益でないかもしれません。

「イギリス的知恵」の背景

イギリスの「知恵」の背景として、その第一は、予想されるように、それがイギリス（イングリッシュ）の国民性に深く根ざしていると考えられることです。とくに「知恵」の実践において大きな役割を果たす心理的側面に関して、イギリス人特有の性格（国民性）は「イギリスの知恵」にやはり大きな位置を占めるものとしてあるのです。そしてこの国民性を形づくるものとして島国という自然環境を「イギリスの知恵」の重要な背景と考える議論は古くからくり返し行われてきました。

たとえば、ヴォルテールに始まり、テーヌやブートミー、アンドレ・モロワに至る「イギリス通」のフランス人はしばしば、そのイギリス論を「島国」というかくれもない〝デカルト的事実〟から説き起こします。

また、イギリス特有の気候も――それは、大洋と大陸に挟まれていて、天候の変動はきわまりなく、つねに霧ともやにかすんで、ぼんやりとつかみどころのない

「霧のアルビオン」というイメージをもたらした――国民性の一端を象徴ないし育成したものとして、遠く十五世紀のエラスムス以来、今日でも天候が国民性を育んだという、外国人によるイギリス国民性論の「主流派」の依拠するところです。

第二に、イギリスに固有の制度や、社会的・政治的環境が、ここでいう「イギリスの知恵」の背景となっている点です。イギリスの封建制度の特殊な性格や、何百年も前から、つまりいつから存在するのかさだかではない議会制という制度、近代の数百年間、基本的パターンとして変わることのなかった植民地支配の要請、国際政治環境としての大陸ヨーロッパ諸国との微妙な関係などは、この「知恵」の形成に重要な影響を及ぼしたと思われます。

しかし、国民性は変容し、再生するものであるし、制度や環境は人間の手によって形を変えます。従っておそらくは最も重要な役割を果たしたものとして、一層意識的なレベルにおける「イギリス的知恵」の習得と継承の努力、という点が考えられねばなりません。そしてそれはイギリスにおける文化や文明という次元に深くかかわっているのです。

その一つは近代になって徐々に形成されてきた国民文化、とりわけ「ジェントルマンの文化」と呼びうる、政治や社会のリーダーとしての階級的なエートス（倫理）が「イギリスの知恵」を意識的に育んできたことです。そのうちのあるものは、議会やパブリック・スクール（イギリスの名門私立中等学校）という制度的な背景の中で、忠実かつ熱心に継承・習得されていったと言われています。

しかしそれを狭く階級的に限定されたものと考えることは誤りでしょう。知恵とモラルの宝庫である「スポーツの文化」は明らかにジェントルマン・エリートの文化に源をもちますが、他の多くのエリート的特質と共に十八世紀以来イギリス社会の近代化の中で国民各層に受け入れられて「国民化」され、イギリス人の精神構造の中にどっしりと根をおろしてきました。

もう一つ、「イギリスの知恵」の背景として、イギリス人がさらに一層意識的・能動的に、いわば「学習」といってもいいような試みによってその習得に努めた点を見逃すことはできません。それは古典（古典とは西欧では、もっぱらギリシャ・ローマの古典を意味する）と歴史（イギリスを中心とする近世・近代の政治史・外交史、場合によって戦史を含む）の中から、人間を学び、教訓を実践化できる形に深めようとする知的姿勢でした。

近代イギリスのエリートの「歴史から学ぶ」という言葉は、ある種の功利的な響きと共に、終始、人間から目をそらさず、現実状況の中に生きる人間を見つめる、柔軟であるが執拗な関心の、その重さと深さがこもった言葉です。

とりわけ、後で見るように、十七世紀の「ピューリタン革命」と呼ばれる内戦のもたらした悲劇と、十八世紀にアメリカ植民地の反乱と独立を引き起こした愚行は、有名な文明史家トインビーの言う「目ざましい歴史の教訓」として、くり返しくり返しイギリス人の心の中に意識化されました。そしてこの「失敗の教訓」は、イギリスの「政治的知恵」の中核として、イギリス人の政治態度に決定的な影響を及ぼしました。

また、ギリシャ・ローマの古典は「人間の尊厳」を基底にすえて、決断や説得に携わるリーダーに要求される精神的美徳を考えさせ、普遍的な価値観によって、「歴史の知恵」に重みを提供するものとなりました。古典的な教養に裏打ちされた「人間の尊厳」という精神的価値は、すこぶる階級的な近代のイギリス社会が、固定化したカースト的差別や身分的な抑圧の少ない、比較的自由な社会として生命力を保持しえた一因でもありました。同時にそれは歴史や政治における人間の行動に対して評価を下す独特の指導者倫理（リーダーのモラル）をも生み出しました。思うに、中国の古典は東洋文明の高い精神性の源の一つではありましたが、それがもつ短所は、こうした「人間の尊厳」を見る眼が脆弱なところにあるのではないでしようか。

最後に、「イギリスの知恵」を考える手がかりとして、イギリス人の心理構造について見ておくことは不可欠のように思われます。そしてここには国民性と共に、古典的人間観が一つの痕跡を残しているように見えます。

すぐれた文明批評家で国民性の観察者でもあったアンドレ・シーグフリードは「イギリス人の心理を解き明かすことほど難しいことはない」と嘆きました。たとえば、我々日本人が理解するイギリス人の「バランス感覚」とか、「穏健」という性格のイメージは、実はそう単純なものでないように思われます。試みに、イギリス的性格として称揚される正直、自制心、寛容、謙譲、勇気、公正（フェア）、思いやり、奉仕精神など思いつくまま考えてみても、これらは他の国でも同様に評価される人間の性格と大きな差違はありません（自制心の強調がやや目をひくとしても）。

しかしこれらはある一つの心理的な力を欠くと、たとえば正直は自己神聖化、自制心は無気力・沈滞に、寛容はだらしなく他者を受け入れる無原則に、謙譲は自己卑下に、勇気は蛮勇に、と直ちに変質・堕落するものであることをイギリスの子供はつねに言い聞かされるのです。その、ある一つの心理的な力のことを、時にイギリス人は「精神の強さ（ストレングス）」と呼ぶことがありますが、この自己の心理的コントロールというものが、実は「イギリス的知恵」の実践を裏から支える重要な前提となっていることをまず知っておく必要があるでしょう。

2　イギリスの知恵——その実相

こうした心理への関心や自意識に支えられた「イギリスの知恵」が最も明瞭に見出され、その効果がいかんなく発揮された場は、やはり近代イギリス外交においてではなかったか、と思われます。実際、十七世紀末以降イギリス外交の挙げた数々の成功例は、しばしば世界の外交史において、「外交の模範例」としての評価を与えられるほどでした。

一八七一（明治四）年、オランダ系の宣教師ギード・フェルベック（日本史では「フルベッキ」と呼ばれる）は日本政府の諮問に答えて、日本は近代的な外交についての模範をイギリス外交に求めるべきであると進言しました。しかしイギリス外交のどこに「模範性」を見出すか、ということはおそらく明治の外務官僚にとってそれほど容易ではなかったでしょう。イギリス外交史の研究においても一種独特のわかりにくさがあり、時に研究者とその読者を遠ざけることになってきました。

ヘンリー・キッシンジャーはあのメッテルニヒが活躍したウィーン会議（一八一四〜一五年）のイギリス代表であった外相カースルレーの外交を扱ったチャールズ・ウェブスターの著書を評し、「まるで文書集でしかない」と酷評しましたが、それにもかかわらずウェブスターはイギリスでは偉大な外交史家とされたし、今もそう評価されています。**イギリス人には状況を把握するためには細かな事実、一見バラバラに見えるファクツ・アンド・フィギアーズ（事実と数字）の集積が不可欠であり、その中からしか「真実」は生まれない、とするほとんど本能的な感覚があります。**

フランス人としてイギリス文学史を専攻したイポリット・テーヌは、イギリスのある詩人の伝記を調べていた時、その詩人がカリブ海の島で暴風雨にあった経験を母親に書き送った手紙を発見しましたが、その手紙は彼が滞在していた海浜の家の構造を事細かく叙述し、大風が海面をどのくらい持ち上げ、窓ガラスがどのようにして砕け散ったか、ほとんど〝絵入り〟ともいえる、そしておよそ詩人らしくない、純然たる事実描写の集積――その大半はイギリス本国でその手紙を読む母親にとって、ほとんど何の意味もないと思われる事実（ファクツ）――に数十行費やした後、最後の二行で自分と家族が無事であったこと、恐ろしい経験であったという感想を書き加えるものでした。テーヌは、フランス最高のジャーナリストにでも、これほど事実に徹した「ルポルタージュ」は望み得ないだろう、と驚嘆しました。しかし、こうした「イギリス精神」は、イギリス外交の最も大きな特質の一つである情報重視につながり、その歴史的成功を支える一大要因となりました。

〈早く見つける〉

近代イギリスの外交と国家戦略の特質を端的な言葉で表現すれば、「早く見つけ、遅く行動し、粘り強く主張し、潔く譲歩する」という言葉で要約できると思います。この「早く見つける」ということは、事態を早期に把握し、その推移をじっと見つめて、行動に出るのにふさわしい時を見定める必要からも不可欠でしたから、「情報」への著しい関心は「知恵」の実践の第一条件でした。実際、この情報つまりインテリジェンス重視という目ざましい傾向は近代的なイギリス外交が始まった十六世紀、エリザベス一世の時代にまでさかのぼることができ、周知の通り、「ジェームズ・ボンド」の現代に至るまで一貫したイギリス外交の特徴でした。

エリザベス一世の下で宰相フランシス・ウォルシンガムが気の遠くなるような努

力を費やしてつくり上げた情報収集のシステムとネットワークはイギリスの情報活動史においても超一流の水準を誇るものでした。それはまた、いくつかの点でその後のイギリス情報活動のパターンを形づくるものでした。その一つは情報ルートの複線化（場合によっては複々線化）でした。ヴェニス（ヴェネチア）に始まるヨーロッパの近代外交官制度は、交渉と共に情報収集を外交官の重要な職務とするものでしたが、ウォルシンガム以来イギリスの多くの有能な情報活動の主宰者は、いわゆる「外交官情報」に重きを置かず、独自のネットワークを用いてつねに外交官の情報をダブルないしトリプル・チェックができることの必要に早くから気づいていました。

フランシス・ウォルシンガム　写真：UIG/PPS通信社

また、外交官は目立ちやすく、一般に国内社会でのエリートでしたから、独自な利害や見解に傾きがちである、という問題点も意識されていました。しかし、何よりも、彼らが多かれ少なかれ、「専門家」であったことが、その情報を何となく信頼できないもの、と感じる不信感をつねにもたらしたのです。

イギリス人の「専門家」不信は、人間は仕事を離れた時、最もすばらしい一面を見せるものである、という労働と才能にかかわる独特の人間観に基づいています。

イギリス人の「趣味（ホビー）」信仰は絶対的なもので、職業的熟練よりも「趣味的ひらめき」が一層価値あるものと見られてきました。それは職業をもたぬジェントルマン地主の文化とその生活理想に深くかかわっており、時に弊害はあっても、イギリス史の長い過程は「素人（アマチュア）の優越」を人々に強く確信させるものであったことも事実です。

　現代においても、イギリスは依然として深い意味で、アマチュアの支配する国なのです。カンタベリー、ヨークの大司教の上に立ち、真のプロフェッショナルである厖大（ぼうだい）な聖職者集団（イギリス国教会）の頂点に立つ「教祖」こそ、完全なシロウトである国王なのです。イギリスでは小学生が集団で川や海に泳ぎにゆく時、資格をもった泳ぎの名手と共に、たとえ泳げなくても「信頼のおける人」がついて行かねばならないとされます。「判断力」という能力は専門技能とはとかく両立し得ない、というのが「常識（コモン・センス）」の教える知恵、というわけです。

　二〇二〇年に感染拡大した新型コロナウイルスに対するワクチン接種がイギリスではボランティア、つまり「アマチュア」を多用したので、主要国の中では最も早く国民の間で接種を推進することができたと言われています。そしてこうしたことは、教会や水泳における以上に情報収集という活動に一層よくあてはまると考えられたのです。

情報の収集は、イギリス的な発想では何よりも機知(ウィット)の発露でなければならず、「コモン・センス」こそウィットの母なのです。少なくとも専門家は「常識」に乏しくウィットに欠ける、ということは、我々ですら日常くり返し感じることの多い事実であり、この点で「イギリス的知恵」の多少アイロニカルな、しかし基本的に健全な発想を感じないわけにはいきません。

また、**情報収集に必要な柔軟な知性や、とっぴなほどの行動力、人間心理の綾(あや)を読み取る感性などを兼ね備えた専門家はとかく少ないのに対し、当然ながらそうした人材はシロウトの中に求めればそれこそ、あり余るほどあるものです。**

とくにイギリス情報部局はこうしたアマチュアとして、文化人を多用する伝統を有しました。ウォルシンガムは詩人のベン・ジョンソンやクリストファー・マーローをスペイン無敵艦隊の情報収集に投入しましたが、この伝統はその後ダニエル・デフォーや、ラディヤード・キップリングを経て、周知のようにサマセット・モームやグレアム・グリーンといった作家、レスリー・ハワードやグレタ・ガルボ、イングリッド・バーグマンなどの俳優へとつながっています。彼らが、イギリス情報部のスパイとして、歴史的な舞台で活躍し、イギリスの国益に大きな貢献をしたことは、欧米ではよく知られていますが、日本ではなぜか話題になりません。不思議なことです。

大戦間期に世界的に有名なイギリスの俳優で劇作家、作曲家でもあったノエル・カワードも、そうした情報部の有名人スパイの一人でしたが、彼は回想の中で、「私はだれからもよく知られた有名人であったため、スパイとなるには目立ちすぎる、という考えを人々の中に起こさせるようことさらに努めました。たとえば講演のたびに『最上の方法』として情報活動の知識をひけらかすのをつねとしていた」と語っています。つまり、「私はスパイです、というスパイはいないはず」と人々は考えるという常識を逆手にとって、自分への疑惑を予め防いでいた、というわけです。

ノエル・カワード　写真：PPS通信社

暗号解読に対する一般イギリス人の趣味的関心はつねに異常なほど高かったから、情報部局もウォルシンガム以来、外国暗号の解読に多大の努力を払ってきました。一七八九年の外務省記録によれば、ジョージ・オーストという外務省の「事務員」はその「特殊な勤務」（通例、解読業務をさす）に対して二百ポンドという破格の年俸が与えられていました。当時のシークレット・サービス（諜報活動）予算は全体で年間平均五万〜七万ポンドでしたから、その破格ぶりがわかります。

　第一次大戦中、有名なドイツの「ツィンメルマン電報」（第一次世界大戦中にドイツ帝国の外相アルトゥール・ツィンメルマンがメキシコ政府に送った無制限潜水艦作戦に関する電報）を解読しアメリカを連合国側への参戦に踏み切らせたのは、ケンブリッジ大学の古典学者ウィリアム・モンゴメリーと、同じく数学研究員だったアルフレッド・ノックスでした。

　また、第二次世界大戦においてもアラン・チューリング、ゴードン・ウエルチマンといった、やはりケンブリッジの「アマチュア」たちがドイツの最高機密暗号を解読して、有名な「ウルトラ」情報をもたらし、バトル・オブ・ブリテンやエル・アラメイン、ノルマンディーの勝利に決定的な貢献を行ったのです。

　しかし同時に暗号解読をめぐる歴史は機知（ウィット）と共に「道徳（モラル）」をめぐるイギリス人の

知恵のあり方をも示しています。イギリスは日英同盟中も、同盟国日本の外交暗号を解読していましたが、戦前の日本外交を代表する外交官の一人であった幣原喜重郎はある時、イギリス外相エドワード・グレイが自分に届けられる外国暗号の解読文を、高潔な道徳的姿勢から、「卑劣な方法で盗み出した情報」だとして見ることを拒み、突き返していたことを聞き及び、アングロサクソンの「モラル」と「マナー」に心酔していた幣原は、自分も「いささか、その真似をした」ことを自らの回想録（『外交五十年』）に誇らしく書き記しています。

たしかに「高潔無比」な人柄のグレイにはありそうな話かもしれませんが、筆者が見た範囲のグレイについての文書や文献の中にこうしたエピソードに言及したものや、それを示唆する根拠となるものは今のところ目にしたことがありません。従って、いずれとも断定し難いが、もし幣原の言う通りであったとしたら、グレイの行為はイギリス外交の伝統に照らして、また、この時期のイギリスの置かれた状況から見て、あまりにも不自然な印象を免れません。

しかし、いずれにしてもイギリス当局はその後もずっと各国の暗号電報の解読を続けていたわけですし、また、秘密情報についてのイギリス外務省の最高責任者は外務次官であって大臣ではなく、さらにグレイの在任期間はとりわけ外務次官のイニシアティブが政策決定に大きな役割を果たすようになった時期でしたから、上記のエピソードはいずれにせよ幣原の早合点で、軽々しく、その「真似をした」ことは日本の国益に大なり小なりマイナスに働いたことでしょう。ただ、この話はイギリス外交の「スパイ行為への嗜好」とジェントルマンの「モラル」を上手に調整する一つの知恵のあり方を示すものではあったでしょう。

たしかに、暗号解読などというものは何かしら後ろめたく、それに従事する情熱は、同じような魅力を感じてイギリス人が推理小説に向ける情熱に比べ、やや暗さのあることを感じざるを得ません。しかしヨーロッパ外交の歴史や二十世紀の国際関係において、外国の通信を盗み見することは、どこの国でもやっている、いわばある種の「世間の実情（ファクト・オブ・ライフ）」あるいは「世の習い」——おそらく日本のようなイギリスにとっての同盟国の暗号でさえ片っ端から解読することも含め——といえることでした。

イギリス文化において「モラル」はきわめて重要なものですが、それは決して「モラリズム」ではありません。モラルとは、生活や行動に密着した直感に基づく指針であり、「世間の実情」を無視して道義的に断罪したり、実現不可能なことを道徳の名において要求し、言いっぱなしに終わらせることは、殉教者になろうとすることと同じく、精神の「弱さ（ウイークネス）」を示すものと考えられたのです。

そもそも、**他国の暗号を解読しようとする努力は自国の暗号が破られないものとするための不可欠の習練なのであり、また、この道にもそれなりのルールらしきものがあるから、結局、「フェア・プレー」か否かの問題として受け取られることとなります。**

二十世紀の国際秩序の大枠がやはり、こうした情報活動にも大きく依存して維持されてきたことは、イギリスの外交史や二つの世界大戦の戦史を見れば明らかであるし、一九四〇年代、ＧＣＨＱ（イギリス政府通信本部、かつてはＧＣ＆ＣＳ政府暗号学校）と呼ばれたイギリスの暗号解読部局が、新しく生まれたアメリカのそれ、つまりＮＳＡ（国家安全保障局）に大量のノウ・ハウを引き渡したことこそ、パックス・ブリタニカからパックス・アメリカーナへの移行のための重要な「引き継ぎ業務」でした。いわゆる「覇権（ヘゲモニー）」の交替と一口に言っても、本来「覇権」にはこうした側面も含まれており、この「引き継ぎ」も含め、英から米への覇権の交替がまれに見るほどスムーズに行われたことはアングロサクソン文化に根ざす一層大きな「知恵」の所産であったといえるかもしれません。

〈遅く行動する〉

しかし、いかに綿密をきわめる情報が得られたとしても、それを実際の政策に反映させる、そのさせ方に根本的な欠陥があれば情報の価値は無に帰してしまいます（場合によってはより悪い結果をもたらします）。そして、ここに一層重要な、政治における「知恵」が求められるのです。

第一次世界大戦中の一九一七年一月、ドイツの最高戦争指導会議は海軍軍令部長フォン・ホルツェンドルフが提出した二百ページを超す厖大かつ綿密きわまりない情報資料をもとに審議しましたが、それはイギリスの港に入る船舶の総トン数、その貨物運賃、積荷面積、国内の配給システム、食糧価格、イギリスの小麦の収穫見通し、さらにはイギリス家庭の朝食の平均カロリーに至るまでの徹底した調査に基づいた情報資料でした。そしてその結論として、ドイツ海軍はイギリスに向かう民間船舶を含むすべての船を無警告で撃沈することを謳った「無制限潜水艦作戦」の実施によって月間六〇万トンのイギリス向け船舶の撃沈が可能となり、この年の収穫期以前にイギリスを飢餓に追い込んで降服させられる、と断言するものでした。

しかしこの調査は、「無制限潜水艦作戦」の実施により、中立国アメリカの世論を激高させ、ほぼ確実にアメリカがイギリス側に立って参戦するであろうという見通しを生み、そのことが翻ってイギリス人の抗戦継続の意志を大いに高め、極度の食糧不足にも一層耐えうるようになろうということ——つまり根本的事実——を見誤っていました。

話は遡りますが、一五八四年の夏、イギリス閣議（枢密院）はエリザベス一世の臨席を仰いで、前述のウォルシンガムが収集した多くの大陸情報をもとに、スペイン領ネーデルランド（今日のオランダ・ベルギーなど、いわゆる「低地」地方のこと）に、オランダ人プロテスタントの反乱を支援するためのイングランドによる介入・参戦の是非を数度にわたって審議しました。その議案書には、プロテスタントのイギリスにも大きな脅威を与えていたカトリックのスペイン帝国に対して抵抗を続けているオランダ人を支援すべきか否か、という点を中心として、それにはいかなる手段・予算があるのか、もしイングランドが「低地」に介入すると内戦で極度に弱体化していたフランスはどう反応するか、そしてイングランド国民の反応は、あるいは貿易に及ぼす被害は、等々、延々二十三項目に及ぶほとんどあらゆる可能性を測り尽くした審議事項が列挙されており、逐一、長時間の論議の対象となりま

ウィリアム・セシル　写真：AGE / PPS 通信社

した。

しかし結局、大蔵卿（実質的な宰相）ウィリアム・セシル（バーリー卿）の議論が結論を支配しました。それは、たしかに「低地」はイングランドの「外堀」であるから、弱体なオランダ人たちがスペインに屈服したらイギリスの安全は重大な脅威にさらされます。しかし今、イギリスがオランダ人を援(たす)けて参戦すれば、直ちにスペインとの戦争となります。けれどもスペインが英仏海峡に面する北フランスの港をまだ完全に支配していない以上、イングランドの防衛は可能であり――これが根本的事実――従って今、スペインとの戦争を始める理由はない、という議論でした。

実際、ノルマンディーからライン河口までの英仏海峡の南岸が敵対的な一国によって支配されたなら、海流・風向の関係から、イギリスの防衛は不可能となること（これがイギリスの伝統的な勢力均衡政策の一番根底にある認識――つまり根本的事実――であった）は明らかでした。しかし、セシルの論法は、「橋にたどりつくまでは、橋を渡ろうとしてはならない」というイギリスのことわざの「知恵」を思い起こさせる論法でした。人は橋（脅威）があるということを知ることにより、橋にたどりつく前にそれを渡ろう（脅威に対し過早に対処しよう）とします。つまり危険があるからと言って、前もって早めに手を打つと、かえって危険を招くことがあるということを、「橋」を渡ろうとしてはならないと、言っているのです。そして、それは「時間」という最も重要な戦略資源を味方につけることの必要を説く、まさに「知恵」の議論でした。

閣議の結論は「オランダ人を見殺しにする他ない」というものとなりました。そして翌年夏、内戦中の北フランス一帯がついにスペインの支配下に入り、ノルマンディーからライン河口までがスペインの単一勢力下に入ろうとするその瞬間、エリザベスもセシルもようやく「橋にたどりついた」と感じ、スペインとの開戦に踏み切り、直接、イングランドの力で「低地」の港湾を押さえるべくイギリス正規軍をライン河口に投入したのです。

こうしてスペイン無敵艦隊（アルマダ）のイギリス来襲というドラマが始まるのですが、オランダ人ゲリラを駆使して、スペイン艦隊が支配をめざすライン河口の港湾を死守す

『明解世界史図説エスカリエ』（帝国書院）を参考に作成。

るたった千五百人のイギリス守備隊のため、無敵艦隊はイングランド侵攻に不可欠なネーデルランドに駐屯するスペイン陸兵の乗船と物資補給を妨げられ、結局、ドレークの指揮するイギリス艦隊の迎撃と、とりわけ北海の嵐によって、その百三十の艦船と数万の兵員の大半が海の藻屑と消えたのです。

しかし、イギリスに海上覇権をもたらしたとされるこの海戦の勝利よりも、おそらくその一年前、「まだ橋にたどりついていない」として参戦を見送ったセシルらの「知恵」こそ、イギリスを大国の道へ進める原動力であったように思われます。もしイングランドが一年早く参戦していたら、実際には最後までかろうじて中立を保ってスペイン無敵艦隊の入港を拒み続けた北仏の港湾都市は、容易にスペインの手に陥ちており、無敵艦隊はそこから潤沢な補給と陸兵を満載してイギリス侵攻を果たしていたでしょう。

国際関係のような極端に流動性の高い場にあっては、早期に行動に踏み切ることは大むね「拙速」に陥り、国家戦略として「拙速」は最も国を誤らせる心理的病弊となります。なぜならそこでは、たとえば同盟や裏切りによって一夜にして勢力が二倍になったり、半減したりするのが常態なのですから、「見切り発車」的な過早の決断はしばしば自国の国運をも見切ってしまうことになるのです。

もちろん、「迅速な行動」が本来的に必要なケースもあります。しかし、そのような場合、世界は十分見通しがよいから、それに気づくためには、必ずしも「知恵」はいりません。

それに対し、エリザベス一世以来、イギリス外交の常套句となった「巧みな行動の回避」が求められるような場においてこそ、「知恵」の本領が発揮されるのです。

そしてセシルが上述のような議論をした閣議からはるかに時代が下って、そのおよそ三百二十年後の一九〇一年五月、イギリス首相ソールズベリーは、閣議に一枚のメモランダムを提出しました。それは「光栄ある孤立」を脱してドイツとの間に、いわゆる英独同盟を結んで、ドイツだけでなくイギリスとも対立していた露仏同盟に対抗すべきか否か、をめぐる覚書でした。有力閣僚のジョセフ・チェンバレンをはじめとする多くの〝合理主義者〟は、「現在、大英帝国はすべての方面からの攻撃に直面しつつあるから」としてイギリスの「孤立」がもたらす危険を説いて、英独同盟の推進を唱えていました。

しかし結論から言えば、ソールズベリーの覚書は同盟の締結を不可とするものでした。ソールズベリーはナポレオン戦争におけるイギリスの経験に言及し、もしあの時イギリスが打倒されていたとしたら、それは「孤立」していたからではない(実際ほとんどの時点でイギリスは同盟国を持っていました)。そうではなく、たとえ同盟国があり余るほどもあったとしても、もしナポレオンが英仏海峡を完全支配していたら、イギリスは滅亡していたであろう、と論じ、英独同盟の不要と、チェンバレンらの考え方の非を訴えました。

ソールズベリーの言わんとしたことは抽象的な「孤立」の危険や、「全般的趨勢(すうせい)」などではなく、今、直接かつ具体的にイギリスを脅かす危険などどこにあるのか、少なくともそれはすぐ目の前にあるわけではない、つまり「橋の到来」を見るまでは橋を渡るべきではない、ということでした。

実はソールズベリーは本名をロバート・セシルといい、血統において前述の三世紀前の大蔵卿セシルの直系の子孫でしたが、それ以上にイギリス外交の「知恵」の継承者であったのです。

そしてその「知恵」とは、**人間はつねに目前の状況の不安定や不確実さを少しでも減らし、自分自身の力によって状況を支配しようとする衝動にかられやすいのですが、この衝動が政治や外交においては時として命とりになることがあるということを知る、**ただそれだけのことでした。

ロバート・セシル（ソールズベリー卿）
写真：Mary Evans /PPS 通信社

たしかにこうした「行動への傾斜」（何かをしたくてたまらない心性のこと）はしばしば、目前の状況の背後にある、より大きな摂理や、問題解決のための実際的な効率を無視して、突進しようとする「正面突破」への抗し難い誘惑につながりやすいのです。

古代ギリシャの史家ポリュビオスはローマとカルタゴの壮大な戦いのドラ

マの中で、人間に関して覚えた最も強い印象として、「人間にとって、物事がどちらにも決まらない状態以上に耐え難いことはない。もし自らが一たび行動に出れば、どちらかに決せられる、というなら、人間はその結果どんな悪い事態がふりかかっても、その不運に耐え忍びうるものなのであろう」と記しています。思うに人間の普遍的本質にふれる洞察であり、また、深い諦観といえるでしょう。

しかしきわめてイギリス的な「間接アプローチ」という戦略理論を唱えて、それを概念化し、「イギリス的行動」という思考をすこぶる明確な言葉で説明した数少ないイギリス人の一人であった戦略思想家のリデル・ハートは、国家戦略について論じた結論において、「物事がいずれにも決しない状態に耐えるのはとてもつらいことである。しかしそのつらさに耐えかねて、むしろ〝死に至る道〟へ逃げ道を求めようとする者は昔から国家にも個人にもあった。しかしこのつらい宙ぶらりんの状態でも、勝利の幻を追い求め国家を灰燼（かいじん）に帰せしめるよりは、はるかにましといわねばならない」と諭（さと）しています。

この点でポリュビオスとリデル・ハートのちがいは一面で「パックス・ロマナ」と呼ばれた、古代ローマ帝国による、ローマの覇権と、大英帝国による「パックス・ブリタニカ」との間の精神的契機の相違を表していますが、他方、ローマのような「力押し」の覇権支配を避けざるを得なかった近代イギリスの、いわゆる「イギリス（イングリッシュ）的行動様式」がいかに厳しい心理的抑制を行動する者に課するものであるか、ということも示しています。**強烈な自己抑制と、それとは到底共存し得ないほどの外界への細心の注意の持続が、高等戦術としての〈遅い行動〉の知恵が要求する厳しい課題であるのかもしれません。**

ちなみに捕虜と戦勝軍兵士という極限的な関係においてでしたが、会田雄次氏は『アーロン収容所』の中で「はじめてイギリス兵に接したころ、私たちはなんという尊大傲慢な人種だろうかとおどろいた。なぜこのようにむりに威張らねばならないのかと思った」と記されていますが、この姿は一つには、彼らが自分自身の中で「自分」をしっかりつかまえておくため、自己の心理の乱れや内面の「劣悪な感情」と思えるものと闘わんとする姿であり、それらを抑えようとする自らの内面への力が外へ映し出されたもののように思われます。

つまりこれらは、自らの「心理の動揺」に対する制御能力を大きな徳性と考えるイングランド人は、自身に対し、「強い立場」(from strength) に立って自らを統御する心理習慣の反射作用が外面に表れたものと思われます。この点で会田氏がイギリス人の次のような姿を鋭敏に感じ取り描き出したことはイギリス（イングリッシュ）国民性の中核に触れるものといえるでしょう。

「動作や態度ということからいえば、イギリス兵は士官・兵を問わず全体的に実に堂々としたものであった。イギリス兵が立派に思われたことのもう一つの原因は、かれらがなぜか孤独に淋しげに見えたことであった。……一人でぽつんと広場に立ってたりしている場合、それは言いようのない淋しい影を持っていた。……しかし孤独は人を崇高に見せるものでもあった」

この孤独の影は、おそらく彼らの中で「ポイズ」と呼ばれる心の平衡を保ち続けようとする心理の力がつねに内側へ向かって働いていることの表れであり、イギリス人の心理についてフランスの心理学者が言う「もっとも静かな星のかすかなきらめきと震え」と評されるものが、会田氏の眼には孤独と崇高さと見えたのでしょう。そしてそれはその外観の心理的源といえるでしょう。イギリス人のユーモアやジョークは、しばしばこうして得られた心の平衡を確認しようとする心理文化の表れであり、むしろ自分自身に向けて発せられている場合が多いのです。

この平衡の強靭さは、自己が「確実なもの」という感覚をイギリス人に抱かせます。そしてこの感覚はふつう未来に対する不安が生み出す壮大な「理論」とか「体系」に対する彼らの無関心をもたらすことにつながります。しばしば大陸的な合理主義者が陥る「未来不安」型の知性は、まだ存在しないさまざまな出来事を細部まで正確に予測しようとして、現に目の前にある状況の中に未来につながる「規則性」をしきりに見出そうと努めます。彼らはこうして未来の投げかけている不確実性を少しでも減らそうとする意欲に駆り立てられがちです。

これに対し、「自己が確実なもの」という感覚に支えられると、一見未来に直接つながるようには見えない個々バラバラの事実の全貌を突き放して見ようとすることができます。そして、このことがイギリス人を図式的な思考や論理主義から守り、個々の状況の独自性を認識させ、目前の事態を支配するのではなく、操作する「知恵の輪」を見つけ出して、事態の流れの中にすでにある力を利用して問題の解決をはかることを可能にさせると考えるのです。ここに「イギリスの知恵」の一つの核心があるように思われます。

あえて言えば、**「未来が見えにくい」という時はイギリス人にとって不安の時ではなく、「ここらで一休み」という休息のための甘美な時なのです。そして、彼らに「明確な未来へのビジョン」などと言えば、とたんに信用すべきではないものと受け取られがちです。**

十九世紀の「パックス・ブリタニカ」の時期のイギリス外交の指導者たちはしばしば、衰退するオスマン・トルコの「必然の崩壊」や、膨張を続けるアメリカによって、いつかカナダが遅かれ早かれ併呑される「不可避の趨勢」という多くの人が抱いた見方を知りつつも、あえてそれに抗して、当面の状況対応に専念して政策を進めていました。そして周知の通り、いずれの「必然」も結果的には的中しませんでした。

実際、パーマストン（十九世紀中葉のイギリス外相・首相）をはじめとするイギリス外交の指導者たちは、必然論者よりも多くの事実に目を向けていました。それは、事態の予測において、いずれかに決し切ろうとする必然論のもつ精神的な「弱さ（ウィークネス）」に気づいていたからです。世界において安定や均衡を支える力の強さを過小評価してはならず、「未曾有」とか「必然」の語は人間の認識能力に著しい悪影響を及ぼすものです。

もちろん、こうした「イギリス精神」がその国策の運営において、つねに十分な「強さ（ストレングス）」を保ちつつ歴史的成功をくり返しもたらしたわけではありません。近代においても、「アメリカ独立戦争」、「クリミア戦争」、「ボーア戦争」、「スエズ出兵」などはイギリスの歴史の大きな汚点で、実際、そうした「歴史的失敗」はくり返されてきました。

しかしイギリスの政治文化において、こうした失敗例の事実そのものよりも一層批判の対象となってきたのは、こうした失敗につながった指導者のある種の性格や心理的傾向です。

十六世紀のテューダー王朝においてヘンリ八世に仕えたウルジー枢機卿やエリザベス一世の廷臣エセックス伯、ピューリタン革命期のトマス・ウェントワース（ストラフォード伯）、王政復古期のアシュリー・クーパー（シャフツベリ伯）、最近ではウィンストン・チャーチルの父、ランドルフ・チャーチルや戦間期の「労働党のプリンス」から一転、イギリスにおけるファシズム運動の指導者となったオズワルド・モズレーらは、とくにその性急な行動に走りがちな心理傾向のゆえに批判的評価をされてきました。すなわち、彼らはいずれも圧倒的な能力と自信、そして知性のひらめきと職務への献身を見せた人物でした。「だから、失敗したのだ」、これがイギリス的知恵というものなのです。

彼らはそろって、何事も偶然に委ねることなく、迅速果敢な行動によって起こり得る未来の危険を事前にすべて取り除こうとし、自らの辣腕のみに頼ろうとしました。そのことこそが、これらのリーダーたちの「危うさ」の源だった、ということ

をイギリスの正史は浮き立たせています。

とくに彼らは、辣腕家に不可避の激しい衝動と性急さ、不断の活動意欲、そして何よりも彼らは体系だった「戦略」や長期構想の持ち主でした。その結果、彼らがいずれも劇的な破滅でそのキャリアを終えたこと、そしてこうした性格の「非イギリス性」のゆえに、彼らは初めから悲劇の指導者たらざるを得なかった、と考えられてきました。個人として見れば、彼らはいずれも明朗闊達な「ネアカ人間」でしたが、心の屈折に乏しく、イギリス人の好む、あの「皮肉さの感覚（センス・オブ・アイロニー）」に欠けていました。ウィンストン・チャーチルは有名な政治思想家エドマンド・バークを評して、偉大なアイルランド人だったが、もう少し、「イギリス的（イングリッシュ）怠惰」と「皮肉さの感覚」があったら、最高のイギリス政治家となっていただろう、と語りました。未来を見つめるとき、この「皮肉さの感覚」は多くの安全弁を供給してくれる指導者の重要な資質であるといえるかもしれません。

〈粘り強く主張する〉

対照的に、あのナポレオン戦争に際して、欧州のほぼ全体を支配する巨大なフランス帝国に抗してただ一国で抵抗を続けイギリスを最後の勝利に導いたのは、ポートランド、パーシヴァル、リヴァプールという、もっぱら「鈍重」で「凡庸」と評価されていた三代の首相たちでした。彼らは、ただ一つ、貴族としての本領である決して大勢にこびることなく、たった一人でも巨大な勢力に抗して、〝上唇をひきしめ〟ブルドッグよろしく「むっつり」と立ち続けるプライドと粘り（そのためにはしばしば凡庸さが必要なのである）において、その凡庸さを補って余りあるリーダーとしての価値を示しました。

第二次世界大戦が始まった時、フランスの軍人ビヨットは、作家アンドレ・モロワに対して、対独戦での同盟国であるイギリス軍の信頼性について次のように語っています。「私は彼らイギリス人をよく知っています。彼らはのろい、全くのろい。けれども最後には必ずやり抜きます。……そして彼らはしっかりと持ちこたえます」。同じくフランス人の批評家であるアンドレ・シーグフリードも、イギリス国民性の核心を「粘り（テナシティ）」に見出しています。

実際、十九世紀のおよそ百年間、英米関係はつねに摩擦と紛争の絶えない困難な関係であり続けました。前述の通り、アメリカによるカナダ侵略の脅威にイギリスは効果的な対抗手段を持たなかったから、一貫して守勢に立たざるを得ませんでした。また、国境紛争や中米の支配権、太平洋の漁業権などをめぐって、時にアメリカは「ゴリ押し」ともいえる交渉姿勢でイギリスに譲歩を迫りました。しかしイギリスは、アメリカによるカナダへの露骨な脅しの前にあっても、「弱さからの譲歩」には頑として応じませんでした。そのためアメリカとの間の多くの懸案は数十年、中には二十世紀初頭まで持ち越されたものがあったのです。

さらに言えば、イギリス海軍の本当の歴史的意義は、華々しい海戦の勝利にあるのではなく、フェリペ二世のスペインや、ルイ十四世やナポレオンのフランスとの間で戦われたどの戦争においても、フランスの軍港であるツーロンやブレスト、スペインのカディス、あるいは二つの世界大戦ではドイツのブレマーハーフェンといったイギリスの主要な敵国の港湾を封鎖するため、荒れ狂う冬の北海やビスケー湾、酷熱の地中海やカリブ海で新鮮な野菜や薪水（しんすい）の不足に悩みながら、海上配置を続けたその粘りにありました。それゆえ、敵艦隊が封鎖に耐えかね決戦を挑んで港外へ出てきた時、イギリス水兵にとってそれは、苦難の時が終わる「歓喜の瞬間」でした。

これらの例は、**勝つことよりは「決して負けぬこと」を信条に、頑張り続けることの厳しさと大切さを教えていますが、この粘りの最も重要な前提は惰性や無気力**

の反映としての頑固さ——それは心理の弱さの表れ——とは正反対なものでした。

そのことを区別する「知恵」は、イギリス軍の退却戦の「栄光」(?)を高く評価する歴史叙述の伝統に見出せます。

有名なダンケルクの撤退や、ドイツ軍のロンメル指揮下のアフリカ軍団に追われ、リビアからエジプトまで延々と敗走する北アフリカ戦線のイギリス第八軍の戦史などは、よく知られた「退却精神」の発露でした。退却には普通以上に決断やリーダーシップが大きな役割を果たさねばならず、また、たえず外界の変化に注意を向け続けるとともに、鋭い「時間の感覚」を必要とするからです。

一八〇八年、一万数千のスペイン派遣のイギリス陸軍がナポレオンの指揮するフランス軍精鋭の猛追撃を受けて、イベリア半島西北端のコルーニャへ向けて行った数百マイルの整然たる退却行はヨーロッパの戦争の常識を超えた厳しいものでした。そして、そのコルーニャ港に待機する救出のイギリス軍艦を背にして追撃してくるフランス軍の先鋒に尽大な打撃を加えながら、乗船直前に戦死したこの退却戦全体の指揮官、サー・ジョン・ムーアの示した粘りと決断は「イギリス戦史の華」とさえ評することができるでしょう。

とくにこのときに示されたムーアの沈着は、スペイン無敵艦隊を打破った前述の

サー・ジョン・ムーア　写真：Alamy / PPS通信社

ドレークやマーボロー（十八世紀初めのスペイン継承戦争でルイ十四世のフランス軍と大陸各地で戦ったイギリスの指揮官。モールブラと発音する人もある）、あるいはウェリントン（一八一五年ワーテルローの戦いでナポレオンを打倒したイギリス陸軍の指揮官）のそれと共に、「イギリス的沈着」の代表例でした。

彼らの日記や記録を読むと、彼らには、事態が深刻であればあるほど、それをあえて軽く扱う「抑制」と「ブラフ」のマナーがたしかにありました。しかし、そのあまりの〝平静さ〟には、その底に、所詮人間の行動や人生とは何かの影絵であって、目的自体にどうせ大した意味があるわけでもない、という一種シェークスピアに通じるような本能的宗教感覚のようなものを感じさせます。

実際それは、**人間の行動と営みはすべて人生という時間を過ごすためにつくり出されたものにすぎず、何かの目標に達するよりも、その経過の中にこそ本質があ**

り、「成功（あるいは勝利）」よりも「うまく負けること」（loose well）の方にむしろ意味があり、従って成果ではなく、その過程における「振舞い方」がすべてなのだ、というアングロサクソンの伝統的なエリート文化の一端を成す人生感覚のようなものを感じさせられます。そして、それは全く表面的なポーズという次元を超えた、深い精神の息づかいのようなものにすら見えてくるのです。

〈潔く譲歩する〉

このような精神に基礎づけられた動的な抑制は、結果ではなく過程を重視する――時には楽しみつつ――ことと相まって、粘り続ける最中にも「時間の感覚」、つまり「しおどき」の呼吸へ自然と関心を向け続けるようになります。そしてこうした精神構造は、ムキ出しの力で他者を圧倒し、唯一絶対的な強者として自らを主張する、「覇権的支配（ドミネーション）」の精神構造が、えてして「目的」とその達成による「行動の終焉」を本来の動機としているのに対し、つねに途中の「過程」の中にとどまり続け、むしろ「永遠の運動」を好むこの心性（スピリット）と結びつき、それが、例のたえざる注視と調整の営みを本質とするイギリス的な「勢力均衡」の精神に結びつくのです。

実際、「勢力均衡」の精神はイギリスの独特な歴史の発展の仕方から生まれた「国民的直感」という側面をもつものでした。十九世紀フランスの歴史家ギゾーは、イギリス史の展開のプロセスにつねにあてはまる特徴として、「いかなる旧要素も決して完全には滅びず、いかなる新要素も十分には勝利しない。また、特定の原理が一つとして独占的地位を得ることに成功しなかった」（『ヨーロッパ文明史』みすず書房）と言っています。別の言い方をすれば、イギリス（イングランド）の社会では、つねにライバルが眼前にいることを容認し共存せざるを得ず、そうした各ライバルにも応分の分け前を与えざるを得なかったのです。

こうしてイギリスでは早くから他国に先がけ、あらゆる利害関係、あらゆる勢力の存在をとりあえず容認し調和せしめ、共に生かし繁栄させることが政治の本質であり自分自身の利益でもある、という認識が育っていました。

それはライバルを力によって従属させるのではなく、利益の配分によって満足させ無害なものにしようとする志向であり、イギリス外交における伝統的なこの「宥和（ゆうわ）」の精神こそ、「勢力均衡」の根底にある考え方でした。ヒトラーに対する一九三〇年代の「宥和政策」はその一つの堕落形態でしたが、本来「宥和」とはライバルを宥和するというより、いずれ解決のときが訪れて自らに味方するであろう、という大局を見すえた姿勢であり、言い換えると時間を含めた「状況の摂理」への譲歩であり、時の流れを自らの同盟者とすることでした。

しかしそれでいて、前述のように十九世紀を通じ実に一世紀の間、イギリスは西半球で増大するアメリカの圧力に抗し、粘りに粘って保持し続けた中米やカナダをめぐるイギリスの権益と影響力の大半を、二十世紀初頭のわずか数年の間に、一挙に、また自発的に、「アメリカに委ねる」という歴史的大譲歩を行いました。それは、一九〇二年に始まるドイツ海軍の大増強の脅威という圧力があったからでした。しかしそれは、本国への直接脅威という有無を言わさぬ事態から、アメリカを「宥和」する時の必要――ドイツの脅威を優先すべきという――に従ったまで、といえば容易に聞こえますが、その決断の「力強さ」は他国の歴史にはほとんど見られないものとして強調に値するものです。

一口に対立する敵対者への利益の供与による「宥和」といっても、それは時機を失しない決然たる大幅な譲歩なしに得られるものではありません。言うまでもなく、譲歩にも「良き譲歩」と「悪しき譲歩」があります。たとえば**一歩ずつ後退するのは、最も悪しきものであり、それは「時（タイミング）の感覚」を欠いているがゆえに、一切の譲歩をしない頑迷さよりもさらに悪しきものと言わざるを得ませ**

ん。譲歩をしなければ守り得ない自らの一層大きな利益があるという大局の認識と、そしてそれに気づいた時、勇躍して譲歩を決断する精神の強さが不可欠なものです。

しかしさらに、「潔い譲歩」には、自らのより大きな利益をしっかり把握することと共に、より一層重要な「知恵」が必要なのです。それこそが、「いつ、譲歩すべきか」という時間の感覚なのです。

グラッドストーンはその息子に「政治においては、もし譲歩しなければ無理矢理奪いとられることになる場合がある。このような時が近づきつつある時はむしろこちらから、先手をうって、まだ少しばかり間があるうちに、進んでそれを与えてしまうことは、相手に感謝の念を起こさせ、しばしば譲歩に見合う十分な見返りをもたらすことになる」と譲歩の「知恵」を諭しました。実際、選択の余地のない状況で無理矢理譲歩させられるような場合、しばしばその放棄させられる利益以上のものを失うものです。

フランス革命が起こった一七八九年、フランス王室と貴族はつねに数週間、場合によっては数日、革命派に対する譲歩が遅れたことが「命とり」になりました。同様のことは、イギリスに関しては、一七七六年にアメリカ植民地が決定的に失われる前の一〜二年についてもいえます。この教訓を重く受けとめた近代イギリスの政治家たちは、その後、植民地に対してはつねに遅すぎないうちに、あえて「独立」を〝下賜〟し、それによって独立後の「英連邦」への加盟という無視し難い見返りを得て、今日まで物質的な国力をはるかに上回る国際的影響力を確保しているのです。

しかし「潔い譲歩」にイギリス人がとくに適している文化的条件があったことも指摘しておく必要があります。それはイギリスの本質的に「貴族的なマナー」の伝統でした。イギリス人には、思うにどこか、自らが世界の諸国民の中で一種貴族的な存在と感じているフシがあります。その感覚はあまりに深いから外に対して、簡単に露出したりはしません。確かにイギリス（イングランド）は少なくとも過去三百年（名誉革命）、場合によっては九百年（ノルマン征服）、征服者を受け入れたことのない地球上、ほとんど唯一の国なのです。そして、そのイギリス的な「貴族的マナー」の最大の特徴の一つが、「ダブル・ブラフ」といわれる態度ではないか、と思われます。権力や富を露骨にふりかざして他者への優越や力を示すのが単純な形の「ブラフ」としたら、むしろ、あえてそのような「ブラフ」に訴えないことを誇示することによって、一層深く、かつ自発的に相手に対しこちらの優越を印象づけようとする真に貴族的な処世のスタイルです。

もちろんそれは時に相手を誤解させる——とくに「粗野」な新参者が相手の時——こともありますが、**物心両面の「強さ」を暗に示すことによって、自発的に感服した相手からの譲歩がもたらす効果の方が結局、大局的に見て大きなものだ、というのがイギリスの行動文化を支える「知恵」でした。**こうした譲歩のタイミングとその美学こそ、他の何ものにもまして、イギリス的な行動文化の精華といえるものでした。

3 「知恵」を支えたもの

実際、イギリスの政治や外交をめぐる「知恵」はこの貴族性（ノブレス）というものを抜きに考えることはできないでしょう。「早く見つけ、遅く行動する」、「粘り強く主張し、潔く譲歩する」という命題の中にあるパラドックスを深く味わい感得する上でも、貴族性の生み出す文化的成熟が不可欠でした。

オランダの歴史家ホイジンガの言うように、「ジェントルマン文化」の精神は、ルネッサンスと古典とスポーツに育まれて、ムキ出しの功利主義と直線的な経験主義というアングロサクソンの「民族病」ともいえるもう一つの顕著な傾向を中和する「柔らかき精神」を生み、アングロ・サクソン特有の直截(ちょくせつ)的でビジネスライクな振舞いの中にも、近代のイギリスが育んだ「ジェントルの文化」は、多少屈折はしてはいるが、国民性に欠如しがちな「潤い」をも感じさせるパラドックスやアイロニーの感覚をも生み出す精神的土壌を提供しました。

より実践的な観点から見れば、それは「リーダーシップ」の文化という、戦略における最も重要な人間的要素の提供にも大きな役割を果たすものでした。

普通、国家や社会的に大きな位置を占める組織のトップ指導者になるには大抵、数十年の期間を要します。しかし、そうしてようやく到達したトップリーダーの座というものは、それまで全く経験の機会に乏しかった特別な資質を必要とします。それは、新たに自立して、安定した判断の枠組みが見えにくい世界で、最終判断としての「決断」をするためには、「パラドックス」に満ちた真の現実に初めて直面し、それまで慣れ親しんできたある種の直線的思考からの脱却に迫られ、全く新たな哲学が求められるということです。しかし多くの場合トップに立って、このアイロニーに満ちた世界が目の前に現れたとたん、はじめてそれまでの思考の根本的な不適切さを感じとることになります。おそらく、その時は、人間と世界の「パラドックス」を体得するにはもはや遅すぎるのが普通なのです。

四百年近くにわたりイギリス政治を独占し続けたジェントルマン貴族の伝統と特権は、自ら望めば青年期に国政を含め何らかの組織のトップリーダーの経験を十分得ることができるシステムを提供するものでした。そのことは、すでにいち早く四十歳代に達するまでの社会的な人格形成期に、人間集団と現実というものの中にあるアイロニー（皮肉さ）を感得する機会を持たせ、この見えにくい世界で「知恵」の大切さを深く身につけることにつながりました。

たしかに、それは顕著な「エリート主義」の色彩をもつものでした。しかし現実には、中下層階級のイギリス人の多くをも含め、社会全体にとって、それが民主主義の理念と根本的に矛盾するものであるとは感じられなかったことは、一層、大きなイギリス人の「国民的知恵」を示すもの、といえるかもしれません。それは**何らかのエリートの存在が不可避なものとしたら、単純な平等の「理念」ではなく、少しでも有用なエリートを持つ方が、治められる方にとっても有益、という庶民的な功利主義の知恵でした。**

民主化運動の最も高まった十九世紀後半、その先頭に立っていたコブデン、ブライトらの、いわゆる下層中産階級を中心とする急進派（ラディカル）と呼ばれた

「マンチェスター派」の政治集団に属していたある指導者は、「貴族の打倒などは我々の目標ではない。我々は政治権力や公職を彼らの手にゆだねておくのに全くやぶさかではない。我々はみな国事の運営には特別な種類の人間が必要であり、この仕事のために何世代にもわたって生まれと教育によってつくり出され、自らはだれにも従属することなく、他の人々を引っぱってゆく役割を果たせる人間が不可欠なことをよく知っている」と語りました。こうしたイギリス国民の考えは、制度としての貴族制が衰退した、今日のイギリス政治においても根本から変わってしまったわけではありません。

おそらく十九世紀以降、リーダーのもつ「文化性」（教養やマナー、もっといえば人格や人間的雰囲気と言い換えてもよい）こそが、「生まれ」や「富」と切り離された貴族性の中心的価値となっていったことが、こうしたリーダーシップに対する考え方が生き延び、広く国民的受容につながったといえるかもしれません。つまり、生まれではなく、人格やマナーといった文化概念としてイメージ化された「ジェントルマン」こそ、近代イギリスの貴族性を代表するものであり、その長命な社会的・文化的な生命力を付与するものでした。

十七世紀初め、イギリスのある学者は「ジェントルマンとはジェントルマンらしく金を使うことのできる人物である」と定義しましたが、その後ジェントルマンについてはこの同義反復（トートロジー）よりもすぐれた定義は与えられていないといわれます。つまり金の所有ではなく、金の使い方は文化にかかわり、「ジェントルマン」の本質に重要な示唆を与えるものだからです。

同時に、予想に反して、意外に階級間の流動性の大きい近代イギリス社会の中では、「ジェントルマン」のイメージ自体が、「成り上がり」に対する批判を回避するために磨き上げられてきた文化的な結晶でもありました。つまり、新たに成り上がって社会の上層に参入してきた新参のジェントルマン予備軍がエリートとしての資格と「有用さ」を認められるのは、社会における「価値ある振舞い」であり、リーダーとしての「知恵」の有無でした。そしてこの成り上がり批判を回避する「知恵」を後世に伝えることのできる手立てに支えられたことこそ、「イギリスの知恵」の継承にとって大きな幸運でした。それは「ジェントルマンの父から息子へ」という社会における振舞いに関わる「知恵」の父子相伝の伝統でした。

前述のグラッドストーンの息子への手紙でも見られたように、この「父から息子へ」という「知恵」の継承は近代イギリス史の数世紀にわたる長い期間、どの時代においても熱心に行われた習慣であり、公的生活にかかわる諸々の行動の要諦、処世術と状況判断、行動者としての倫理(モラル)にかかわる知恵などをきめ細かく実践的に伝えた助言として、おそらくパブリック・スクール以上にイギリスの政治文化の形成に重要な役割を果たすものでした。

テューダー朝時代において四十年間にわたりエリザベス一世を補佐して国政を指導した上述の大蔵卿ウィリアム・セシルが息子（後に宰相として初代ソールズベリー伯爵となる）に残した『死に際して父が息子に宛てる訓戒』や、有名なサー・ウォルター・ローリーによる『息子への訓戒』などは十七世紀前半、すでに古典的ベストセラーの地位を保持するものとなっていました。実際、この習慣はとくに遺訓とか書物の形を必ずしもとらず、また、単に家門の繁栄のみを願う、いわゆる「ファミリー・エゴ」ではなく、より広く公的義務感にも裏打ちされたエリート階級全体の永続を図る営みとして、長年月にわたりイギリス政治と外交の担い手の行動と認識に側面から大きな影響を与え続けました。

十九世紀における「パックス・ブリタニカを体現した外交の指導者」として十九世紀イギリス外交に大きな位置を占めるパーマストン（子爵）は、早くに父親と死別したため、青年期から、「父代り」として十八世紀末のイギリスを代表した外交官、ジェームズ・ハリス（マムズベリー伯）からヨーロッパ外交の実相と交渉の要諦について、マン・ツー・マンの薫陶を受けました。また、第一次世界大戦に至る二十世紀初頭のイギリス外交を指導した上述のエドワード・グレイも若くして父親を亡くしたため、父親代わりとなった聖職紳士、モンデール・クレイトンから、くり返し「政治にかかわる訓戒」を与えられ、政治エリートとしてのコーチを受けましたが、クレイトンがつねに最も強調したことは、**当面する決断が、自己の「原則（プリンシプル）」に関わる問題なのか、あるいはさらに情報を必要とするものなのか、あるいはまた、専ら適切な判断を探し求めるべきものなのか、この三つのいずれであるかを混同してはならないということでした。**

実際、「モラル」（つまり社会における振舞い）と「情報」と「良き判断力」の三つに関わる知恵とセンスを磨くことは、イギリスの政治リーダーの必須条件と考えられるものでした。とりわけ、「判断力」を育てることには多くのエリートがつねに最大の力点を置いて論じています。

「知恵」の実践においては、体系的な戦略や綱領主義（マニュアル）、技術偏重主義に比べ、ケースごとの個別的判断の重要性がはっきり認識されていたからです。それは完結的な行動マニュアルや組織至上主義の価値体系ではなく、本質的に断片的で特定の状況を前提とする「知恵」というものの性格から当然のことでもありました。つまり、どのような状況でどの「知恵」が実践されるべきか、ということの判断はつねにトップたる自らが下さなければならず、この点を重視したリーダー文化をしっかりと備えていた「イギリスの知恵」はパックス・ブリタニカの確立を見た十九世紀初めには、すでに成熟段階に達したものだったと見ることができます。

このような国家リーダーとしての知恵の継承にふさわしい手立て（たとえば、パブリック・スクールや父子相伝文化）に支えられていたことが「大英帝国」の息の長い繁栄の大きな要因でもありました。

翻って、近代日本に関して、歴史上の「失敗の本質」をつきつめれば、多くの場合、「世代の継承（サクセッション）」という問題に帰着します。明治日本の華々しい隆盛が維新世代から後、二世代ともたず、そして昭和の経済大国がバブル崩壊で「第二の敗戦」に至ったことのくり返される劇的な短命さは、日本にとってこの問題の宿命的な深刻さを示しているようにも思われます。大正と平成の日本の劇的な国家指導の質の低下は、はるかに大きな情勢の変転をのり越えてきたイギリスの政治指導と比べてみた時、「世代の継承（サクセッション）」の問題を真剣に考えない新興大国の「危うさ」を示すものかもしれません。そこには、大正以後の日本の教育制度やエリート養成の欠陥が大きく作用していたと言わざるを得ません。**何よりも「成功」の持続は「人」の継承に**

よってもたらされるものであり、それがどのようなエリート性をもつべきかは、それぞれの国の文化に適合したものでなければならず、エリート養成の制度や「システム」をめぐる議論は本来、第二義的な問題であるように思われます。

最後に論じねばならないことは、こうした強固な支えを備え、前述のような多くの成功をもたらした「知恵」を実践した近代イギリスの高いパフォーマンスに対し、人は「それではなぜ、今日のイギリスの衰退が起こったのか？」という問いを発することでしょう。これは戦前・戦後を通じ、多くの日本人のほとんど反射的な反問であり続けてきましたし、日本人だけではなく歴史上、多くのアメリカ人やヨーロッパ人も、この問いを発し、多くの場合外界の環境変化よりもイギリス自体の中に衰退の「たね」を見出し、つねにそれをイギリス人以上に重視し続けてきたものです。

実際、「イギリス衰退論」はおよそ三百年の歴史をもつ議論で、ほとんど近代イギリスが興隆を続けたいかなる時点でも見出されます。ルソーやマルクスのような偉大な思想家だけでなく、フリードリヒ大王やビスマルクのような透徹した現実主義者ですら、「イギリスの衰亡」を差し迫った可能性として論じ続けてきました。

それは「未来の不安」という外観を示さず、むしろつねに楽観的な「こだわりのない安らい」の気分を楽しむ〝老大国〟イギリス（イングランド）の国民性への、外国人の違和感に発するものが多分にありました。そして、外国人側のこの違和感の底にはイギリス的な「生き方」が深いところで、自らのアイデンティティへの重大な文化的挑戦を意味する、と受け取る心理が潜在し、戦前日本人の紋切り型の反英論の底にも同じようなものが見られました。曰く、「固定的な階級社会にあぐらをかいている怠惰なエリート社会の弊害」といったものです。

たとえば、一九七〇年代の「イギリス衰亡論」は以前のものに比べ、当初かなり根拠のあるもののように思われました。そして四十数年前のあの時は、「マーガレット・サッチャー」という一見、非イギリス的ながむしゃらの「力の手法」を必要としていることを多くのイギリス人が受け入れていったことは特筆すべきことでした。私は当時、英国に長く滞在していましたが、「今回の衰退は真性のものなのかもしれない」と多くのイギリス人が考えたことは明らかでした。そして彼らは潔く大きな決断をしました。それが二十一世紀の今、イギリスの新世代に、サッチャーらの危機感が生み出した改革の果実（たとえば現在の日本よりも、一人当たりGDPなどはるかに高い生活水準）を享受させているのです。

しかし、目標を設定してしゃにむに突っ走り、その達成から次の達成へ工夫もなく無限に走り続ける「ネズミの競争(ラット・レース)」には元来能力も関心も示さないイギリスの国民性と、産業革命や植民地獲得という、「ラット・レース」ではなく「機知(ウィット)」によって得られた成果を、「知恵」によって大英帝国という形で維持し続けた近代イギリスの「成功の本質」を考えるならば、衰退の原因は、取り立てて探すまでもなく、ほとんど自明のものでしょう。

端的な言い方になりますが、結局、すべての「繁栄」はそれ自体の中に「衰退」の原因をもつ、というのが古来、ほとんどすべての衰亡論でしたから、問われるべき問題は、一層端的に言えば、その「繁栄」が維持された期間の長さとその再生にかける粘り強さにあるのではないでしょうか。この点でローマ帝国やスペイン、フランス、おそらくは二十世紀のアメリカと比べても、驚くべきスタミナを示したのが近代イギリスの「繁栄」であった、といえるでしょう。

従って、「英国の衰退と再生」に学ぶとしたら、二つの要諦があるように思います。**一つは、つねに継承の手立てを保持し、「いかに長くもたせるか」ということであり、もう一つは、頂点を過ぎると必ず周期的にやってくる衰退を直視し、そのときには後発のライバルにも学ぼうとする潔さでしょう。**それゆえ、七〇年代の日本人のように、産業競争力にのみ視野を限定して「反面教師」としての「イギリス病」を分析しあげつらうのではなく、長期的な衰退のサイクルに入ったときに、守りの戦略と知恵のインスピレーションを得るための、いわば「全面教師」として、後発国をも手本とする「父子相伝」の謙虚さこそ、今日、最も実り多い「イギリス衰亡論」からの教訓といえるかもしれません。

「衰退」の原因は、「繁栄」そのものにあります。しかしだからといってもちろん豊かさをあきらめるわけにはゆかないし後もどりをさせるわけにもゆきません。とすれば、維持し、守ることの大切さに思いをめぐらすことが必要であり、さらにそれすら危うくなったときの、潔さ、つまりこれしかない、と知るのには、さして「知恵」はいらないでしょう。前へ前へと進み続けないと維持できない、という盲目的な惰性がもしあるとしたら、それはおそらく破滅への道であり、上述のようにリデル・ハートの言う「死に至る道」の病弊でしょう。

「守り」は退嬰(たいえい)的であり、つねに「攻め」こそが活力の源泉であるとするのは、特定の時期や発展段階にのみあてはまる先入見であり、「攻撃は最大の防御」とは国家戦略にあってはしばしば「自殺の哲学」とさえ言えるでしょう。仮に、そうした心理習慣がある時期、繁栄をもたらしはしても、つねに「攻めに徹する」というのはイギリス的表現を借りれば精神の「弱さ（ウィークネス）」の表れでしかないといえるかもしれません。

「攻撃」は本来リスクが大きく、愚行を犯す可能性が大きいはずのものです。国家や大きな組織がある程度以上に力を増大させると、必然的に愚行を生む可能性が高まります。人間は、自己の力を正しく知ることが最も難しいものであり、状況を支配する自己の力が大きくなれば、行動する中で、自己自身の力のちょっとした過大評価、過小評価が大きな失敗を生むことにつながりやすく、繁栄の環境そのものを破壊することになるからです。これはとくに巨大組織や大国に当てはまります。「繁栄」が寿命を全うできず、挫折するのは、こうした点にあり、明治日本の隆盛が、大正末までも守り貫かれなかったのは、性急な「行動への意欲」や惰性的な「攻めの体質」に溺れた「精神の弱さ」とともに、こうした一方的な繁栄と絶えざる力の増大が、やがて大きな失敗を招くという、ほとんど必然的なメカニズムへの盲目さにも、その原因があったと思います。

他方、「守り」がもたらす果実は実は大きなものであり、それは「繁栄」の持続だけでなく、精神的・文化的な成果と国家運営の成熟を生み出します。時に応じた大きな「改革」への踏み切りも、実は、さらに大きな「守り」の一環として決断さ

れねばなりません。「保守するために改める」とは、このことなのです。

すでに完全な経済大国の地位に達していながら、つねに精神・物質の面で足らざるを感じ続け、自信つまり主観的な充足感を完成しえない国は、その大きな力ゆえに隣接・関係国に大きな不安と敵意を招くことになります。しかし、それ以上に、その自信のなさを「欲望の不充足」と受けとられ脅威と見られることにもなりやすいのです。これは、かつて世紀末の日本、あるいは今日の中国に見られる現象ではないかと思います。とりわけ、それは国際政治における最も恐ろしい力である外交的包囲網をつくり出される危険を招きます。しかしこうした「危うい欲求不満」は「行動への焦り」が体質化されている国に起こりやすく、行動への過剰な意欲を抑える精神文化の成熟が大国たる国の一番の責務であり、そしてそれは自信の醸成につらなり、大国としての地位の永続化を容易にします。

たしかに、行動への意欲に満ちた国民精神は、戦後日本に見られたように、いったん壊滅的失敗にあっても再興のポテンシャルを宿しており、この維持・涵養こそ重要、という考え方もあり得るでしょう。

しかし世界史の長い過程を観察すれば、たとえ一時的壊滅による悲劇の大きさを度外視しても、こうしたことはめったに見られない幸運な例外でしかないこともわかってきます。

また、「自信」というものが、力に基づくと同時に、精神的充足に基づくとしたら、広い意味の「行動の文化」の育成によって性急な「行動への意欲」を抑制することで得られる「心の眼」というものは、おのずから、モノや力以外の目に見えない要素への洞察を生み、大国としての「安定した自信」の醸成に資することになります。

また、そうした精神的な態度や雰囲気は、自己自身に対する冷静な評価や、力の節約という理にかなった行動に結びつきやすいゆえに、大国としての力の用い方で大きなムダが省かれ、〝加齢〟に伴う意欲の「減退」にも十分な〝埋め合わせ〟をもたらすものなのです。そしてそれは何よりも、**世界が有限であり、国力や人間の努力の成果もすべて有限である、というこの世の絶対的真理を固くふまえるがゆえに、一層すぐれた「戦略」を生み出す知恵なのです。**

4　大英帝国の覇権の源はイギリス国教会にあり

イギリスの独拠性

私は長らくイギリスの政治外交史を研究してきましたが、なぜイギリスが十八世紀以降、「太陽の沈むことのない帝国」として世界秩序を主導できたのかということは、世界史の上でも、また現代の世界のあり方を考える上でも、最重要テーマの一つと言っていいでしょう。

それを可能にした「イギリスの知恵の源泉」とは何か。前章で、そのことを深く考えてみました。ここでは、さらに深くその「源泉」について考えてみたいと思います。そこで、まず私がたどりついた結論から言うと、それはイングランド国教会(以下、国教会)という存在が大きく関わっているということです。伝統を重んじ、頑固に自分のやり方を貫きつつ、それでいてきわめて現実主義で、時には大きな変革も受け入れる柔軟さを持っている――私たちがイギリス的だな、と思う特徴の多くは、この国教会のあり方と多く重なり合うのです。

よく知られているように、国教会が成立したのは一五三四年のことです。時のイギリス国王、ヘンリ八世がカトリックの教えに背き、離婚、再婚を強行。ローマ教会から破門されたヘンリ八世は「国王至上法」を公布し、自らイングランドの教会のトップに立つことを宣言しました。そのため国教会を語るとき、しばしば「離婚」という一見、世俗的な問題が強調されやすいのですが、この問題の本質はもっと深い、イギリスという国のあり方そのものにあると思います。

それはイギリスという国の本質としての「一国性」です。

イギリスが世界に誇るものに、中世のマグナカルタ以来の（不文）憲法や、それに基づく議会政治がありますが、イギリス人自身は、これが必ずしも普遍的なものではなく、あくまでもイギリス一国にとって最適な制度だという認識を持っている。イギリス（ここではイングランドのこと）の必要に応じて、自分たちのためだけの（特注の「あつらえ品」として）テーラーメイドにつくり上げたもので、簡単に他の国には移植できないだろう、と。これは最近の「ＥＵからの離脱」という選択にも見られるように、ヨーロッパ大陸に対して、つねに独立――ときには孤立をも——を保ちたいという「イギリス（つまりアイルランドを除いたグレート・ブリテン）の独拠性」とも深くつながっています。

実は、私は同じ島国である日本にも、こうした感覚は根強くあると思います。**日本人は大陸の文化を積極的に取り入れながら、それに従属せず、一国一文明でやってきた。その独立への志向は、今もこの国の核をなすものでしょう。**

さて、このイギリスの「独拠性」「一国性」は宗教にもあてはまります。まさに国教会とは一国一教会、イングランド一国のための宗教なのです。その点では端的な言い方になりますが、日本の神道と似ています。つまりヨーロッパ大陸とつねに距離を置き、あくまで自前のシステムでやっていきたいという、島国イギリスのDNAともいうべき生き方を、宗教面で具現化したもの、それが国教会なのです。

実はそもそもの初めからイギリスのキリスト教は、独自の歴史を持っていました。イギリスにキリスト教が伝わったのは二～三世紀ごろ。最初は、アイルランドを経由してイングランド北方から南へと広がったのです。重要なのは、この時期にはまだ大陸でもローマ教会が確立していなかったことです。その後、西暦五九七年になって、ローマ教皇庁から「カンタベリーのアウグスティヌス」という人が派遣されるまで、三百年以上、イングランドには土着化したキリスト教信仰があったのです。

こうした「遠い昔から（ローマ教皇庁からは）独立していた」という教会の生い立ちは、イギリスの歴史に深く根づいており、その民族的記憶は、この国が大陸との関係で新しい危機に直面したとき、立ち返るべき拠りどころとなる。それが十六世紀ヘンリ八世の時代にローマとの対決を迫られ、国王が破門されるという国家的危機に際して、「もともと我々はローマから独立した独自の信仰を持っていた」という「文明の古層」といってもよい古い記憶が甦り、イングランドだけの国教会を建てるべし、という決断に大きな影響を与えた、と私は考えています。

大陸からのカトリック勢力の脅威

加えて、ヘンリ八世の離婚問題には、政治的な背景がありました。そもそも離婚問題が持ち上がった原因は、王妃キャサリンとの間に男子の跡継ぎが生まれなかったことにあります。それはとりわけイングランド王国にとってきわめて深刻な事態でした。

というのも、キャサリンはスペインの王家（アラゴン王国）の出身でした。当時

カール５世　写真：Mary Evans /PPS 通信社

キャサリン・オブ・アラゴン　写真：De Agostini Picture Library/PPS 通信社

ヨーロッパ大陸は、キャサリンの甥で神聖ローマ帝国の皇帝カール五世が台頭し、ドイツのみならずイタリア、スペインをも支配下に収めていました。つまりキャサリンとカール五世は血縁続きということになり、もし男子の後継者が得られないと、大陸でかつてなく強大化しつつあるハプスブルク家という一大カトリック勢力の圧力を受けるようになり、イングランドの独立それ自体が危うくなるという状況にあったのです。

そこにスコットランドの問題も重なります。このときスコットランドはイングランドとは全く別の国です。また国柄も大変異なっていて、スコットランドは大陸への憧れがきわめて強く、のちにアダム・スミスやデイヴィッド・ヒュームなど偉大な思想家や哲学者を生んだように、観念的、思弁的なものに惹かれやすい国民性の国で、イングランドの独立志向、常識と実用性を重んじる現実主義とは正反対なのです。現代でもくり返しスコットランドに独立問題が持ち上がっているのは、この大陸志向が、直線的な「EU志向」となって表れているともいえるでしょう。とりわけヘンリ八世の時代には、このスコットランドに大陸からカトリック勢力の影響が色濃く入ってきていました。つまりイングランドは南北からカトリック勢力による「挟み撃ち」の危機をも迎えていたのです。

興味深いことに、もともとヘンリ八世自身は、ローマ教会も「信仰の擁護者（デフェンソール・フィディ）」という特別な称号を与えていたほどの熱烈なカトリック信者でした。ですから、国教会の成立後も、プロテスタントの一派でありながら宗教儀礼（典礼）はカトリックのものをほとんど踏襲していました。中世のヨーロッパは君主権と教皇権が激しくせめぎ合っていましたが、海を越えたイングランドにはローマ教皇の力も及びにくい。そこで、教皇庁は国王にそうした称号によって名誉を与えることで懐柔（かいじゅう）をはかっていたのです。それは逆にいえば、もともとイギリスではローマ教皇権に対し、国王の立場が強かったともいえます。たまたま「離婚」問題で教皇庁の圧力に直面したヘンリがその強い王権を発動し、宗教面でもローマからの独立を企てたのが「イギリスの宗教改革」、つまりイングランド国教会の成立だったのです。

そして、この国教会の建前では、本来、聖職者ではなく俗人であるイングランド国王が宗教的にもトップに立ちます。そしてこれが、**「専門家よりもアマチュアの方がよい」というイギリス的思考の原型とも重なるわけです。**そして国教会は国王の「配下」にある国家組織の一部となり、司教（主教）や司祭など聖職者たちは「公務員」となります。子供が生まれると半ば強制的に教区の教会に登録され、国家の管理する一種の戸籍簿として管理される。つまり宗教と行政が国家のもとに完全に一体化するという、国としてのイギリス独自の仕組みが出来上がりました。

しかし、話はここで終わりません。この後イギリスの歴史はこの国教会を軸として、振り子のように大きく揺れることになります。その大きな振幅から、イギリス的な思考の幅の広さ、政治や外交にまで影響を及ぼすイギリス史に特有のダイナミズムが生まれてくるのです。

まずヘンリ八世は、キャサリンと離婚したあとアン・ブーリンというイギリス生まれのプロテスタント（新教徒）女性と再婚し、生まれたのが後のエリザベス一世、そしてその（腹違いの）弟が後のエドワード六世です。エリザベスたちは、熱

ヘンリ８世　写真：Rue des Archives / PPS 通信社

心な新教徒である母方の教育を受け、プロテスタントとして育てられます。ヘンリの死後、エリザベスの弟エドワード六世の時代（一五四七〜五三年）には、聖書が初めて英語に訳され、カトリックとほぼ同じだった国教会の典礼にも少しずつプロテスタント的な変更が加えられました。

　しかしこのエドワード六世が早世すると、次に王座に就いたのは、ヘンリの最初の妻キャサリンの産んだメアリ一世だったのです。エリザベスやエドワードらの異母妹弟とは違って強硬なカトリック信者だった姉のメアリ（その夫はのちのスペイン国王・フェリペ二世）は、エドワード時代に力をつけ社会の表面に出てきた新教徒たちを次々に捕えて火炙りにするなど、後世「ブラッディ・メアリ（血まみれのメアリ）」と呼ばれるほど新教徒を徹底的に迫害したのです。

　しかしメアリの死後、振り子は再び反対側へ振れます。そして、その中で最も重要な変化がエリザベス一世の即位でした。彼女の治世は一五五八年から一六〇三年の四十五年間に及び、その間にイギリス国教会はスコットランドを実質的に支配下において、ブリテン島全体で国教会の支配が確立します。そして、これが重要なのは、政治、外交、経済など多くの点でも大英帝国へのスタートが切られたのが、このエリザベス時代だったということです。つまり、国教会の確立と大英帝国は、実は深いところで、切っても切れない形でつながっていたのです。

エリザベス女王とイギリスの〈形〉

エリザベスの統治方針を一言でいうなら何事につけ、宗教よりも政治、すなわち国益優先という立場でした。つまりイングランドの「国家としての存立、安泰」の追求です。母親や近親者から新教徒的な教育を受けたエリザベスは、本当は妥協的な教義の国教会よりも、もっと熱烈なプロテスタント信仰を志す、言ってみればピューリタン（清教徒）に近い発想をもっていたかもしれません。しかし彼女は、女王の立場を何よりも重んじて、国家の安定のために、むしろ狂信的なピューリタンを抑圧し、国家に奉仕する従順な国教会をもり立てていったのです。

そもそも、熱心な信仰心を尊ぶ敬虔な新教徒からすれば、国家に従属し典礼面ではカトリック的な面を多分に残す国教会は「不純な存在」に映りました。そこで国教会に、もっとピュア（pure）になるべきと主張する人々、すなわちより純粋な信仰に基づく改革が必要だ、と叫んだ人々が「ピューリタン」（puritan）と呼ばれるようになります。

一般にいわゆる「清教徒」、とくに大陸のプロテスタントはジュネーヴに本拠があったカルヴァン派の強い影響を受けています。しかしイングランドのピューリタンはより知的で個人主義的な傾向をもっていました。それゆえ彼らは、同じイギリス人でも土着的で従順な国教徒（国教会の信徒）に対して、国際的、普遍主義的な志向が強く、インテリ層や商工業者、教育のある新興地主層に支持者が多かった。ことにそうした清教徒の拠点となったのが進取の気性に富んだケンブリッジ大学でした。今日でもケンブリッジはオックスフォードと比べ政治的にも革新系で、また自然科学や哲学に強い。有名なニュートンやコンピュータや人工知能の生みの親とも称されるアラン・チューリングなどの科学者、ケインズのような経済学者、バートランド・ラッセルやヴィトゲンシュタインといった哲学者は皆ケンブリッジで学んだ人々です。それに対して、オックスフォード大学は伝統的に体制側に就き、つねに王室や国教会に近く、そして保守党や有力貴族との関係が深い。

たしかに清教徒に対する弾圧は、エリザベス一世の時代にも行われていますが、「血まみれのメアリ（ブラッディ）」の時代に比べるとても緩やかでソフトなものになり、二、三年投獄しておいて、「国外に出る」と言ったら釈放するといった具合でした。エリザベスにとって重要なのは、大陸のカトリック勢力と対抗するため、あくまでも国家としての統一、国民間の和合の保持が第一だったのです。彼女が生涯、独身を貫いたのも、そうした国家への信念からでした。

さらに、この時期から、ピューリタンの一部には国教会のなかに入り、むしろ「内部からの改革」をめざす人々も現れます。そして国教会の側でも柔軟性を重んじそれを受け入れていく風土が育っていった。つまり「右」は、カトリックにも近いような保守的な人々から、「左」はピューリタンまでが、国教会という一つの教会のなかに共存する方向がめざされるようになっていったのです。イギリス史では前者をハイ・チャーチ（High Church）、後者をロー・チャーチ（Low Church）と呼んだりします。そして国教会の面白いところは、これが必ずしも内部で宗派的な派閥に分裂するのではなく、はっきりした分かれ目のないグラデーション状態に徐々になっていったことです。

そして、これはイギリスという「あの国のかたち」に大きな影響を与えました。今も、イギリスでは国民ひとりひとりは多様性に富んでいて、あくまで自己の立場を貫き、けっして一つにはまとまらないように見える。そしてその幅の広さ、内部での闘争の激しさが、社会のダイナミズムを生み、変革のパワーにもなる。しかし、いったん事あらば一つにまとまって、苦難を共有し、イギリス全体の危機に立ち向かう。こうした国民としての特性が定着していったのが、四百年余り前の、このエリザベス女王の時代だったのです。

今でもイギリス人の大多数の家庭では（統計にもよりますが、名目上、七〇％前後の国民が国教徒と分類されます）、幼少期から国教会に通います（つまり、幼い時に洗礼を受けた、ということだけで、生涯にわたり定期的に教会に赴くことを必ずしも意味しませんが）。そこで、人の生き方、家族観、人間関係のあり方に始まり、現世に関わる処世から政治の本質、国家観に至るまで、折に触れて国教会的な価値観を知らず知らずのうちに注入されてゆくことになる。

こうして数百年かけて近代イギリス人の精神的バックボーンが形成されていったといえるでしょう。

単一原理の国は弱い

話を四百年前に戻しますと、こうしてイングランドの歴史に長期の安定と大きな足跡を残したエリザベス一世が死んだ後（一六〇三年）、イギリス史の振り子は、またまた反対の方向に振れ始めます。エリザベスには子供がいなかったために、その死後エリザベスの宿敵だったスコットランド女王のメアリ（メアリ・テューダーすなわち、あのブラッディ・メアリとは別人のスコットランド王家の生まれであるメアリ・スチュアートのこと）の息子で、メアリの死後スコットランド王として即位していたジェームズ六世が、エリザベス一世の死後、血縁を根拠にイングランド王も兼ねることになり、一六〇三年、「ジェームズ一世」となります。そしてこれが「失敗続きのスチュアート朝」の始まりでした。彼らは「スコットランド的」に、論理的かつ観念的に王権神授説を振りかざして、新教徒の弾圧を強め、イングランドに混乱と亀裂を生じさせます。さらには国教会や議会との妥協にも失敗します。

こうした混乱のなか、国教会（とくにハイ・チャーチ派）と対峙していたピューリタンの生き方は大きく三つに分かれるようになります。ひとつは前にも述べたように、あくまで国教会の一員として内部からの改革をめざす。もうひとつは、亡命者となって国外に脱出する。そのなかでも有名なのは、一六二〇年にメイフラワー号でアメリカに渡った「ピルグリム・ファーザーズ」です。国教会からの弾圧を避け、信仰の新天地を求めた清教徒たちが、のちのアメリカ建国につながってゆくわけです。

そして、三つ目は、王権の不当な圧力に対し、力で対抗しようとする「ピューリタン革命」の路線です。こうして一六四二年に起きたのが、日本のイギリス史で言うところの「清教徒革命」です。そもそもピューリタンというと、日本人には非常に堅苦しく宗教的に厳格で、勤勉一色というイメージがありますが、実際のピューリタンは実はそれなりに柔軟で寛容な人々なのです。とりわけ清教徒革命の指導者となったクロムウェルは、議会や法律家と力を合わせて、強圧的な王権と対抗しこれを打倒していった「優れた政治家」という評価が、後世のイギリス史では一般的です。

この清教徒革命、それに続く名誉革命（一六八八年）の背景となったのは、中世からイングランドに連綿と培われてきた「コモン・ロー」の感覚でした。すなわち、令状なく家に踏み込まれず、逮捕状なしには逮捕されない、逮捕したら必ず裁判にかける、王と教会を誹謗（ひぼう）しない限りどんな言論も許される――といった、**イギリス人にとって「自分の主人は自分である」という古来の島国民族の根本的な自由の感覚が、この革命の中で甦ってきました。**

清教徒革命は宗教闘争である以上に、「王権か議会か」という政治闘争となりました。そしていったんは、国王チャールズ一世の処刑という極端な出来事にまで振り子は振れるのですが、その結果「共和国」となったイギリスは、わずか十年で行き詰まり、亡命中の王弟をチャールズ二世として王位に呼び戻し王政復古（一六六〇年）を経て、王室も含めた国教会と議会こそが「イギリスの柱」であると定めた名誉革命へとつながりました。そして名誉革命こそはイギリス史の決定的な分岐点となる出来事でした。なぜなら、それによって立憲君主制の近代国家としての歩みが始まり、そして、そこから大英帝国の本格的な発展が開始されるからです。

同時代（つまり一五三〇年代から一六八〇年まで）、あるいはその後の時代でも、ヨーロッパ大陸では宗教そのものをめぐって、激しい対立が絶えませんでした。たとえばフランスでは一六八五年にルイ十四世の手によって、およそ百年前に新教徒の権利を保障した「ナントの勅令」（一五九八年）が廃止され、再びプロテスタントを非合法化して、百年以上、歴史の針を逆戻りさせ、再びカトリック一色となってしまいます。

それに対して、同じ頃イギリスでは名誉革命によって、すべての宗派（もちろんキリスト教に限られたが）への寛容を示すようになります。そして特筆すべきは、商業、金融の分野で国際的に活躍し、強力な情報ネットワークを有しながら、宗教的に迫害を受け続けてきたユダヤ人をイギリス（ブリテン）の政権が正式に受け入れたことは、この後、イギリスの世界支配の上で、決定的な優位をもたらしました。それまで経済的にも、文化的にもイギリスに大きな優位を保っていたはずのフランスは、プロテスタントとユダヤ人を圧迫したため、それから百年たたずして、十八世紀半ばには、はっきりとイギリスの風下に立たされるようになってしまったのです。

ここに世界史の大きな教訓があるように思います。すなわち**宗教でも政治でも、国のあり方が単一原理的になってしまうと、その国の活力には大きなマイナスとなる。たしかに外からの脅威に立ち向かう、または外に打って出るときには「国内を一つに固めなくては」と考えがちですが、「一枚岩」の国家とか単一原理の社会はかえって弱いのです。**イギリス国教会のように、内部にはさまざまな立場を抱えながらその違いも尊重する方が、外に向かって開いていく社会を生み、その結果、世界を股にかける人材も生まれやすい。しかもそれは、いざというときには自発的に「我らは一つ」としてまとまる、という精神的な一体性の核にもなるのです。このことは今の日本にも大いに参考になる点があるように思えます。

5 パックス・ブリタニカと現代のアメリカ
――トランプには真似できない大英帝国の支配術

現代の世界を理解するためにはパックス・ブリタニカの歴史を学べ

二〇一六年のトランプ大統領の登場によって、アメリカのみならず世界も明らかに変わっていくでしょう。その変化がどのようなもので、我々に何をもたらすのか。これはどうしても、今この時点に立ちつつも、同時に思い切り「引いた目線」で世界史の大きな文脈でも考えておく必要があります。

まず、そこで二つ押さえておくべきことがあります。その一つは、現在アメリカが陥っている混乱は、トランプという個性だけが原因ではない、ということです。

この点は後に詳しく述べますが、大きな流れだけあらかじめ示すとすると、一九九一年一月にジョージ・H・W・ブッシュ大統領（父）が開始した湾岸戦争こそが、トランプ大統領の登場をもたらした、冷戦後に起こった「アメリカの過ち」の始まりだったと指摘できるでしょう。九〇年代の初めから、「単極支配のとき」というスローガンの下、冷戦と湾岸戦争の双方に勝利したアメリカが世界を一極的に支配しよう、といった議論が盛んになされましたが、実は、その認識がすでに間違っていたのです。それがだれの目にも明らかになったのは、「湾岸戦争の仕上げ」として息子のブッシュ大統領が始めたイラク戦争（二〇〇三年）とそれと前後して行ったアフガニスタン侵攻での失敗です。

この父子の失敗を受けて、クリントン、オバマの両政権はそれぞれ少しずつ「世界の警察官」からの撤退を図ります。そしてそれは、冷戦後アメリカ人の間で徐々に広がっていた孤立主義的な「国内回帰」の風潮と合流していきます。そしてその延長が、トランプのいう「アメリカ・ファースト」、すなわちなりふり構わぬ〝自国優先〟という名の極端な孤立主義だと言えます。

もう一つは、それにもかかわらずアメリカは依然として、世界最強・最大の国家であり、安全保障や外交、国連など国際機関や国際金融、メディア、物流、ＩＴ情報など現代の世界を支える多くのシステムの根幹、つまり世界秩序の中核を担っているということです。

では、近代の世界秩序、たとえば国境を定め、大使を互いに交換し、貿易協定を結ぶなどのルールを決め、鉄道や通信網といったインフラ・システムを構築し、世界に広げたのはだれかといえば、それは近代西欧であり、わけてもイギリスの貢献が圧倒的だったと言えます。そうして確立され世界に広がった「大英帝国による世界統治（グローバル・ガバナンス）」の遺産を、二十世紀のアメリカはいわばタナボタ式に引き継ぎました。

だから、現在の世界を理解しようとすれば、まず十九世紀のおよそ百年、世界を支配した「イギリスの覇権」（いわゆるパックス・ブリタニカ）とは何だったかを知る必要があります。そして私の考えでは、いま直面しているアメリカの混迷を解くカギも、そこに潜んでいるのです。

覇権を決した二つの戦い

アメリカという国は、ある意味でわかりやすい覇権国家です。その、資源にも恵まれた広大な土地に世界中から人々が集まり、強大な経済力と軍事力に支えられて、世界を支配する覇権を揮（ふる）ってきました。それに対し、イギリスはどうでしょう。もともとは小さな島国で、人口もそれほど多くはありません。十八世紀半ばに強大な植民地帝国を形成する前は、せいぜい欧州の中堅国家、それも周辺部にある三番手、四番手以下の存在に過ぎませんでした。

しかもその海外への進出も、欧州のライバル国に後れを取っていました。すでにスペインは十六世紀に南米のほぼ全域を支配し、十七世紀にはオランダがインド・東南アジアまで貿易圏を広げ、グローバルな通商における覇権（ヘゲモニー）を握ります。そして十七世紀後半になると、フランスの台頭も著しく外交の現場ではフランス語が世界共通語の地位を占めていきました。

それに対しイギリスは、一五八八年に「アルマダ海戦」でスペインの無敵艦隊に勝利はしましたが、この時点では大西洋などの海洋覇権を奪うには至っていません。十七世紀までのイギリスは海賊がスペインなどの商船や植民地を襲って略奪をくり返したりする、今でいえば「ならず者国家」で、ひたすら国としてのサバイバルしか考えていないような存在だったのです。

それが大きく転回するのは、十八世紀、それも後半のことです。日本の教科書では大きく扱われていないのですが、現在の世界の成り立ちを考える上では、実はこの十八世紀のイギリスと世界をめぐる歴史が決定的に重要なのです。

なかでも一七六〇年前後に、「世界史を分けた戦い」と言える二つの戦いがありました。

一つは、一七五七年、インドのベンガル地方で起きた「プラッシーの戦い」です。これはイギリスの東インド会社がムガール帝国のベンガルの太守軍を破った戦いとされていますが、実はそのベンガル太守をバックアップしていたのはフランスの東インド会社でした。つまり当時の世界で最強の軍隊をもつ二つの近代国家であった英仏両国が、インド亜大陸の支配権を争った戦争だったのです。そういう意味では、これよりおよそ百年後の日本でイギリスが薩長を、フランスが旧幕府を支援した幕末の戊辰(ぼしん)戦争と類似した構図です。

「プラッシーの戦い」の世界史的意義は、イギリスがフランスをインド亜大陸から完全に放逐したことにあります。十九世紀以後の大英帝国による世界支配を支えたのは植民地インドが生み出す巨大な富でしたが、イギリスによるその排他的支配の基礎を固めたのがこの戦いだったのです。

そしてもう一つが、一七五九年、カナダでの「ケベックの戦い」(アブラハム野戦を含む)です。一七五五年に始まった「フレンチ・インディアン戦争」(「七年戦争」の一部を成す)で、イギリスはフランスと北米大陸の支配権をめぐって激しい戦闘を続けていました。一七五〇年代の一時期イギリスは危うい劣勢に追い込まれますが、制海権の優位を発揮してニューイングランド方面から植民地の軍事力を増強し、巻き返します。そして有名なアブラハム平原の戦いで「ケベックの砦（とりで）」を攻め取って、北米大陸でのフランスの植民地支配にピリオドを打ったのです。

このとき、フランス側はあと一歩でケベックに援軍が到着するところでした。もし、そのフランス本国からの増援軍が間に合っていたら、北米のイギリス軍は全滅していたのではないかとされています。「歴史のＩＦ」の話になりますが、もしこの「ケベックの戦い」でフランスが勝利していたら、北米大陸全体は今のようなアングロサクソンの支配ではなくフランス文化圏に入っており、その結果、今ごろ世界中で話されている言語は、英語ではなくフランス語になっていたでしょう。

つまりインドとカナダでの、一見それぞれはローカルに思える同時併行的に戦われた二つの戦いでのイギリスの勝利が、「アングロサクソン支配」という、今日にまで続く近代世界の覇権構造を決定づけたのです。もちろん、英仏両国の本拠地であるヨーロッパでは、それぞれが同盟国を従えて二つの陣営に分かれて一七五六～六三年の七年間にわたり戦争を続けていました。このヨーロッパにおける戦争は「七年戦争」と呼ばれています。そして、この同じ戦争の北米版をアメリカ史では「フレンチ・インディアン戦争」と称しています。

ちなみに、この「フレンチ・インディアン戦争」で苦戦した若きイギリス人将校の一人に後年、アメリカ合衆国の初代大統領となるジョージ・ワシントンがいました。この戦いで経験を積んだワシントンは、のちのアメリカ独立戦争（一七七五〜八三年）で植民地軍総司令官となり、今度はイギリス軍を敵として戦うことになります。

パックス・ブリタニカの三本柱

ところで、ここで一つの疑問があります。歴史上イギリス以前にも広大な植民地を抱えたスペイン、十七世紀に世界の通商を牛耳ったオランダのように、一定期間、世界に覇権を唱えた国はありました。しかし、なぜイギリスだけが長期にわたる近代的な世界秩序の担い手として「パックス・ブリタニカ」（イギリスによる平和）を、安定した構造的な形で定着させることができたのでしょうか。

そこには三つの要因があったと考えられます。

まず海軍力です。十八世紀になると、イギリスの海軍力はスペインやオランダを大きく凌駕し、世界中に多くの戦略拠点を擁して、大西洋をはじめ「七つの海」の制海権を握ります。この頃、スペインは王室の相続争いをくり返し、国内が疲弊して、行政や産業の近代化にも後れを取っていました。それでも南米の植民地は維持していましたが、スペインやポルトガルがそこに行き来するには、大西洋や太平洋の航路を支配するイギリス海軍の保護と「お許し」が必要だったのです。

次に経済力です。イギリスの強みは産業革命によって、毛織物や綿織物など自らの国で競争力のある商品を生産したことでした。しかも、石炭や鉄鋼をはじめ、工業機械や鉄道、艦船など、システムとしての近代産業を偏りなく発展させたのです。

しかし、モノを作るだけでは経済覇権は握れません。それを売りさばくマーケットとしての活力ある植民地が必要になります。さらには金融、保険、そして基軸通貨（ポンド・スターリング体制）も手中に収めます。そしてこれらの上に立って、通商の安全や貿易ルートの整備を担ったのが、前述の世界最強のイギリスの海軍力でした。言い換えると、金融と通貨の覇権こそ、軍事力や工業生産力と一体化して、構造化した世界覇権としてのパックス・ブリタニカを支えた核心の要素だったのです。

そして最後に、第三の柱として自らの覇権を諸国に受け入れさせる包括的な思想やイデオロギー（今日の言葉でいえば、いわゆる〝普遍的価値観〟）がありました。それが、奴隷解放や公海の自由、立憲政治と議会制民主主義といった政治上の理念なども近代イギリスが世界に発信し広げた価値観でした。そしてもう一つ、イギリスの覇権の成立と時を同じくして、「自由な貿易は参加国すべてに利益をもたらす素晴らしいもので、それを妨げるのは悪である」という理念がつくられたのです。

アダム・スミスの『国富論』が出版されたのが一七七六年であるのは、偶然ではありません。アメリカの「独立宣言」が出されたのと同じ年に、海軍力の優越に支えられたイギリスの世界覇権を維持するために、自由貿易や自由な市場経済活動を理想として語る言説が求められたわけです。

しかし、いくらイギリスが自由貿易の利を説き、その正義を主張しても、必ずそれに抵抗する国も出てきます。そうした相手に、強引に門戸を開かせる手段、それはやはりイギリスの強力な海軍力と外交・情報力です。

一八三八年にイギリスはトルコのイスタンブール（当時はコンスタンチノープルと呼ばれていた）に軍艦を送り、同時に親英派のトルコ人エリートを懐柔（かいじゅう）して、オスマン・トルコ帝国との間に通商条約を結びます。これはイギリス人の通商貿易権、領事裁判権を大幅に認めさせ、トルコ側の関税自主権を否定する内容で、江戸幕府が結ばされた安政の日米・日英修好通商条約（一八五八年）に代表される不平等条約の先駆けと言える内容でした。一八四〇年のアヘン戦争も同様の意味を持ちました。**つまり不平等条約を結ぶために「自由貿易」を大義に掲げて、軍事力を行使することを正当化するイデオロギーは、やはり大きな役割を果たしたということです。**

これは現代のグローバリズムを考える上で示唆に富んでいます。今日まで日本が「最も開かれた市場」だったのは、どの時代かといえば、実は幕末・明治のこの不平等条約の時代です。自分で関税が決められないのですから、外に対しては完全に「開かれた市場」だったのです。このように**グローバリズムは時として後発国の国家主権を力で踏みにじる侵略的なものであることは忘れてはならないでしょう。**

いずれにしても覇権的な軍事力（および世界各地に基地と同盟のネットワーク）をもち、そして金融・通貨の覇権を含む強大な経済力、普遍的な自由貿易のイデオロギーの三つが、百年以上続いたイギリスの世界覇権（パックス・ブリタニカ）を支えた三本柱でした。そして、この覇権の構造は第一次、第二次世界大戦を経てほぼそのままアメリカに受け継がれ、大まかには今もそのままの形で「パックス・アメリカーナ」の基本原理となっているのです。

世界中を敵に回して

しかし同時に、ここで重要なのは、やはりイギリスの覇権と、その後継者であるアメリカの覇権では、実は大きく異なる点があることです。それはイギリスが、自分だけで世界を支配する一極覇権主義ではなく、他のライバル国との共存をあえて容認し、むしろそれらとの共存を重視する「多極的な世界秩序」の維持と安定をめざしたことでした。

たとえば前述のように、大西洋の制海権を握ったにもかかわらず、スペインの南米利権を認め、当初、激しく覇権を争ったフランスとも時に手を握り、中東やアフリカでの「共存」とフランスのアジア進出も積極的に受け入れます。すでに十九世紀の初頭には、「自分一人では食べきれないほどの料理をテーブルに積み上げるほど、我々は愚かではない」と唱えて、抑制のない覇権主義ほど国を危うくするものはないというのが、イギリスの指導者たちの共通認識となっていました。

そして、言うまでもありませんが、イギリスがこのような多極的世界の受容と共存そして力の行使への強い抑制を基調とする国家戦略を身につけるには、それ以前に大きな挫折を体験する必要がありました。それが「アメリカ独立戦争」です。イギリスはアメリカ植民地の「同胞の反乱」としての独立戦争において、およそイギリスらしくない排他的で傲慢（ごうまん）な外交によって最も有望な植民地を失うことになったからです。この大きな失敗への反省と教訓によってイギリス外交は、大きな成熟を身につけ、抑制と知恵を重視する伝統を確立していったのです。

そもそもまだ弱体だったアメリカの植民地人たちが世界の最強国イギリスにどうして勝利できたのか？　漠然と「自由と独立の気概に満ちた植民地アメリカの建国の父たちがワシントン司令官の戦争指導のもと奮戦したからだ」とイメージしている人も少なくないと思いますが、実はそうではありません。それは、アメリカの子供たちが学校で習う、どこの国にも見られる狭量で愛国的な「歴史言説」と言っていいでしょう。

実は、アメリカ勝利の裏には、アメリカ独立派への、同盟国フランスをはじめとする諸外国からの強い支援と協力があったのです。フランスから参戦したラ・ファイエット率いる義勇軍は有名ですが、フランス、スペイン、オランダからは多くの兵士たちがアメリカ側に立って参戦し、経済的にも多大の支援を行いました。ポーランドやプロイセン、さらにはロシアからも志願兵が海を渡ってアメリカ独立のために戦っています。

つまり、当時、七年戦争の〝大勝利〟に驕(おご)り高ぶり、それまでの伝統に反して一極主義の強大な覇権国となりつつあった大英帝国は、他の主要国の多くにとって「重大な脅威」となっていたのです。そうなると、イギリスはいくら卓越した海軍力を誇っても、世界中を敵に回しては勝てなかった——。一極覇権主義の驕りに陥ることなく、「協調(コンサート)による多極主義」に則った覇権の維持、これが、以後一世紀以上にわたるイギリスの対外戦略の一大哲学となります。

会議を「踊らせた」外交術

そして、その教訓が生かされたのが、ナポレオン戦争（一八〇三～一四年）でした。欧州を席巻したナポレオン帝国に対し、イギリスは対仏大同盟を結んで、弱体なオーストリアや、それまで得体の知れない「脅威」でもあったロシア帝国まで仲間に引き入れて、同盟＝協商のネットワークを作り上げ、しかも自らの役割は限定しつつ、ナポレオン帝国の打倒に成功します。

さらにその後の欧州秩序を決めたウィーン会議（一八一四～一五年）では、自らがナポレオンを打倒する上で主役を演じたにもかかわらず、むしろオーストリアのメッテルニヒを議長格にすえ、イギリスは連合国の「ワン・オブ・ゼム」として、あえて「対等の同盟者」として振舞い、謙虚に各国の言い分に耳を傾けました。その結果、ウィーン会議は長期化し「会議は踊る」と揶揄（やゆ）されましたが、これはイギリスが辛抱強くあえて「踊らせた」とも言えるのです。

優位なポジションに立った上で、多くのパートナーやその相手の言い分をそれぞれ認め、各国の自発的協力を引き出す。これが、本来の意味での「宥和（ゆうわ）政策」であり、多極的秩序をベースとして、あえてその一員として世界をリードしていったのです。それが十八世紀を通じ苦労して身につけたイギリス外交の「覇権のための知恵」でした。

そして、そのパックス・ブリタニカの頂点をなした時期（およそ一八三〇～六五年の期間）、首相を九年、外務大臣を約十六年務めた十九世紀イギリスの大政治家パーマストンは、「永遠の同盟国も、永遠の敵国も存在しない。永遠なのは国益だけだ」という有名な言葉を残しています。つまり、その時々の国益に応じ、柔軟に同盟国も切り替えていくべし、ということです。

しかし、日本人はこうした多極的な発想が非常に苦手です。だから、かつてはイ

ヘンリー・ジョン・テンプル（第３代パーマストン子爵）　写真：Alamy / PPS 通信社

ギリス、現在はアメリカとの同盟や協調関係を絶対視して、それが揺らぐと急に不安になり、挙句に、相手方から「同盟の終焉」を告げられると、パニックを起こし、その反動で極端な一国主義にとらわれて暴走してしまったのが、昭和の「日本の悲劇」でした。

この多極的世界での成熟した振舞い、という観点で見ると、第二次世界大戦の見え方も大きく変わってきます。たとえば、イギリスの首相だったチャーチルから見た場合、警戒すべき三つの勢力が存在しました。一つは欧州を席巻するヒトラー。もう一つは価値観の相容れない共産主義者のスターリン。そして、最後に、大英帝国を引きずり下ろし、自らの新たな覇権体制を築こうとしているアメリカのフランクリン・ルーズベルトです。この三者の間で、当然、前二者を主たる協調の相手とすることはできません。チャーチルはルーズベルトの本当の（イギリスに取って代わる世界の覇権国となる、という）意図に気付きながら、衰えゆく大英帝国を背負い、戦後もアメリカと並び立って、米英共同覇権への参画を進めようとしたのです。

そしてその上で、戦後まもなくドイツも含む「ヨーロッパ合衆国」の構想を提唱、一九四六年三月には「鉄のカーテン」演説を行って、アメリカをソ連に「ぶつけて」、米ソを対立させ、冷戦を引き起こし、それをテコにイギリスの国力回復につなげようとしました。その背後でチャーチルは新たな多極的世界を構想し、自らの覇権の再建をデザインしようとしていたと言えるでしょう。

冷戦という多極的世界

実は、こうした「多極的世界秩序」という発想は、第二次世界大戦後、新たな覇権国としての地位を確立しようとしたアメリカにも引き継がれていました。たとえば、『世論』などの著書で知られるウォルター・リップマンや、封じ込め戦略の提唱者ジョージ・ケナンといったアメリカの大知識人たちは、折に触れ十九世紀イギリスの見事な国家運営に学べと語り、「一極覇権主義の自制」を説き続けました。

実は「パックス・アメリカーナの時代」といわれた二十世紀後半の世界秩序は、

アメリカ一極の時代ではありません。言うまでもなく、そこではアメリカを軸とした自由主義圏と、ソ連を中心とする共産圏、そして、そのどちらにも属さない第三世界が存在していました。

そして、ソ連という強力な対抗軸があったがために、アメリカは自らの同盟国に対して寛容に振る舞わざるを得なかったのです。マーシャル・プランで欧州の復興を支援し、敗戦でボロボロになった日本とも日米安全保障条約を結んで、経済復興を助けました。さらにＮＡＴＯや先進国サミットといった仕組みも、むしろ冷戦期には今よりも対等で多極的なシステムとして機能していました。だから他の国々もアメリカの覇権国としての正当性を認めたのです。

それが大きく変わったのは冷戦後のことです。本当ならば、この時期こそがアメリカが「世界の警察官」をやめ、イギリスやドイツや日本、場合によっては中国やロシアなども対等のパートナーとして、主要国間の協調に基づく真の多極的世界へと舵（かじ）を切る好機だったはずです。

これはイギリスでいえば、ウィーン会議後の状況に似ています。もうナポレオンはいないのだから、欧州大陸には関与しないでおこう、費用ばかりかかる植民地の拡大もやめようという路線に、当時のイギリスは明確にシフトしていきました。この「自制戦略」によって、パックス・ブリタニカはこのあと百年間も続いたのです。

しかし、一九九〇年代のアメリカはまったく逆の方向に進みました。

そこで台頭したのは、「ネオコン」と呼ばれた政権エリートを中心に、アメリカの唱える「自由=正義」という非妥協的な独自の価値観に世界中が従うべきだという十字軍的な理念的一極主義が、冷戦後のアメリカの世界戦略を支配しました。そして経済的には、アメリカの市場経済モデルを世界中すべての国で実現させようというグローバリズムだったり、もっと露骨に、もう対抗勢力はないのだから有無を言わさず世界経済全体をアメリカに従わせよう、といった経済覇権主義へと力の支配とイデオロギー攻勢を広げてゆきました。日本やドイツの経済力が「目前の脅威」であるとし、とりわけ日本には「年次改革要望書」などを突きつけて、日米構造協議などで「脅威」としての日本の経済潜在力を抑え込もうとしたのもこの時期です。

しかし、このようにアメリカが「一極支配」をめざした結果が、最終的にはイラク戦争、アフガニスタン侵攻の無残な失敗につながったのです。

湾岸戦争では、「国連決議に基づく戦争」を演出することで、冷戦後の世界で主導権を得たのでしたが、約十年後のイラク戦争では、アメリカは国連決議もなしに一国主義の立場を強く主張して開戦に踏み切りました。しかしこれは覇権国だからこそ絶対にやってはいけない選択でした。**覇権国とは、つねに「国際的正当性」を体現しているから覇権国なのです。自らが決めた国際的なルールを正面から無視することは、覇権の自己否定にほかなりませんでした。**

正当性なしに単に力だけで言い分を通そうとすれば、結局、その覇権は早期に磨り減っていってしまいます。世界史でいえば、十六世紀の終わり頃からのスペインや十七〜十八世紀のフランスがこれにあたります。とりわけスペイン帝国は、南米のインディオを徹底的に搾取し、非妥協的なカトリックの信仰を押し付け、プロテスタントを敵視し、ユダヤ人を排斥する。その結果、あれほどの大帝国がみるみるうちに凋落していったのです。

トランプのアメリカに欠けていたもの

では、一極支配の限界を露呈した現在のアメリカは、早晩、世界のリーダーの座を手放すのでしょうか。私は必ずしもそうは考えません。もしアメリカが大英帝国の、そして冷戦期アメリカの知恵に学ぶなら、多極的世界の新たなリーダーとなる力は十分に残しています。グローバリズムの無理強いはやめ、各国の事情と言い分に耳を傾けながら、世界秩序の維持に貢献する。それが本来のアメリカの「国益」にもかなっているのです。

そこで現実的な可能性として考えると、今後、急速かつ必然的に多極化してゆく二〇二〇年代の世界で、多角的な協調秩序への移行を先導してゆく役割は、アメリカが世界のリーダーとして生き残る唯一の道だろうと思います。しかしトランプ前政権下のアメリカにその役割を望むのは大変難しいものでした。

というのも、「トランプのアメリカ」には世界のリーダーとして決定的に欠けている要素があったからです。それは世界を納得させる「理念」です。それゆえ力においては絶頂期を過ぎたアメリカですが、バイデン政権が打ち出しているような、人権とか気候変動など、人類的な理念を掲げてリーダーシップを発揮し、中国やロシアに対抗するのが覇権の維持に叶っているわけです。

たとえば大英帝国でいえば、前述した奴隷解放です。イギリスは一七七〇年代にはいち早く奴隷貿易の廃止に取り組み、巨額の国費を投じて、イギリス海軍に世界中の奴隷貿易船を取り締まらせました。先ほどグローバルな覇権国に求められる三要素として、軍事力（とくに海軍力）、経済力、イデオロギーの三本柱を挙げましたが、この「イデオロギー」にはもちろん博愛的な理念の大切さをも含みます。

奴隷貿易の禁圧のために世界中の海でイギリス海軍の監視船が果たした役割は、真に「人類史上の記念塔」とも言える崇高な試みであったことは間違いありません。それは第二次世界大戦後のアメリカが果たした対外援助や「平和部隊」によるヒューマンな世界への貢献に匹敵するか、それ以上の世界史的意義のある行為でした。今後もアメリカに、そうした行為が果たして期待できるでしょうか。トランプ前大統領を見ていると、この問いに「イエス」と答えられる人は、そう多くはなかったでしょう。そして今、前述のようにバイデン政権はこのことに気づいて路線を修正し始めているのです。

いずれにせよ当時のイギリスが提示し保障した自由な議会政治、自由な経済、自由な移動、自由な言論、自由な信仰という理念には、やはり人々を惹きつける要素がありました。だから、それを守ろうとするイギリスへの評価、信用が、イギリスを長期にわたってグローバルな覇権国たらしめたのです。

戦後、日本人の多くは、これらの自由の理念は、もっぱらアメリカによって唱えられた価値観だと思っているかもしれませんが、それは世界史に対する大きな誤解です。アメリカの政権だけでなく、日米同盟に国の安全保障を託している**日本人も今、近代のイギリスが世界の文明に対して果たした役割をもう一度学び直す必要があるのではないかと思います。**

いずれにせよ、アメリカでは、大統領であったトランプが「メイク・アメリカ・グレート・アゲイン」と唱えていましたが、この場合、グレートはせいぜい「強い」「すごい」という薄っぺらな意味でしかありません。しかし、理念のない国をグレート（偉大）とはだれも呼ばないのです。

第二部

二十世紀の「怪物」と日本

――共産主義とパックス・アメリカーナ

6　共産主義の覇権戦略と日米戦争

第1節　なぜ冷戦を隠蔽するのか

消し去られた「オンリー・イエスタデイ（ほんのきのうのこと）」——冷戦の記憶

ソ連の解体によって東西冷戦が終結してから早いもので、三十年が経ちました。今や、冷戦は「歴史の闇（やみ）」の中に消し去られようとしているように見えます。

実際この頃（ごろ）は、国内外の政治や社会情勢を論ずる日本国内の学会やシンポジウムに参加しても、冷戦が話題になることはほとんどありません。さらには国際政治や安全保障、外交が専門で、かつてリアルタイムで冷戦を研究対象として功成り名を遂げたはずの年輩の学者たちが大勢集まる場所でさえ、最近は冷戦に言及されることは、ごくまれにしか見られなくなりました。これは一体どうしたことなのでしょう。

二〇一七年は、冷戦の一方の主役であったソ連を出現させた「ロシア革命」から百年を迎えました。あれだけ世界史の一大焦点であり続けたのだから、その革命原理である共産主義の思想や国家体制についての議論がもっとなされてもよかったはずなのに、それもありませんでした。

そして、その二年前の二〇一五年、ちょうど昭和二十年から七十年目ということで、安倍晋三首相（当時）によって出されることになっていた「戦後七十年談話」の内容に関心が集まりました。しかしその中で、どんな話題を取り上げるべきか、をめぐる政府の有識者懇談会（筆者もそのメンバーの一人でしたが）での議論でも、冷戦についての議論はほとんどなく、大変不可思議な現象がくり返されました。

実は筆者は、上記の懇談会で、冷戦を、戦後七十年間の日本が辿った道を論じる上で欠くことのできない話題として、重要テーマの一つとすべきことを力説しましたが、政権中枢の意向を汲んだ事務当局と座長代理は応じようとはしませんでした。そして同年八月十四日に出された首相の談話本体では、冷戦についての言及は一切ありませんでした。これは一体、何を意味するのでしょうか。

過去を振り返る戦後七十年という重要な節目に、近現代の日本の来し方が「首相談話」という、日本国家の正式な歴史評価を示す公文書において大々的に議論されたのに、俎上にのぼったのは専ら、「あの戦争（つまり大東亜戦争あるいは第二次世界大戦）」における昭和日本の戦争責任に関わる、いわゆる「歴史認識」であり、日本の「侵略」や「植民地支配」といったキーワードが強調され、戦前・戦中の日本の「過ちを胸に刻む」つまり謝罪の話ばかりでした。たまに戦後に言及があっても、「悪しき戦前」と対比して、戦後の日本は憲法九条の平和主義に徹し、焼け跡から復興して高度経済成長を果たして国民生活が向上し、日米同盟の下、国際貢献の役割も果たしてきた、と真っ黒な戦前・戦中のイメージとのコントラストを強調する戦後平和主義礼賛の話ばかりでした。そして、何よりも**戦後七十年を画するはずの安倍晋三首相の談話に、冷戦への言及が一切なかったことは、談話の目的が周辺国への謝罪に徹することだったことの証明だといえるでしょう。**

欧米の公式的な議論では、いわゆる「東西冷戦」は、チャーチルが「鉄のカーテン」演説を行い、アメリカ国務省のジョージ・ケナンたちが提唱したアメリカの「対ソ封じ込め」戦略が動き出す一九四六年半ばあたりから始まり、「ベルリンの壁」が崩壊した一九八九年、またはソ連が解体した一九九一年に終わったとされています。そうすると、日本も世界も、第二次世界大戦後約七十年間のうち実に四十年以上にわたり、この冷戦という世界史的な舞台に立ち、安全保障や外交、政治、経済、そして思想や社会のさまざまな面で大きく影響を受けてきたことになります。

それにもかかわらず、「過去から教訓を得る」はずの現職首相の「戦後七十年談話」の議論から、冷戦がすっぽりと抜け落ちたのが、この日本なのです。これは単に歴史観の迷走にとどまらず、国家意思の喪失が進行していることの証しではないかとさえ思われるのです。

「only yesterday（オンリー イエスタデイ）」――なぜ、「ほんのきのうのこと」をここまで完全に忘れ去り、一昨日のこと（つまり冷戦以前の大東亜戦争のこと）ばかりに血道をあげるのでしょうか。

現在の日本では知識層、マスコミ、あるいは一般国民まで、みなで示し合わせたかのように、冷戦などなかったかのような筋書きで世界観や歴史観を語っています。これはもう、それぞれが意識するしないにかかわらず、「冷戦忘却史観」あるいは「冷戦隠蔽（いんぺい）史観」なるものが日本中を覆っているとしか言いようがありません。

そもそも、安倍首相の「七十年談話」にしても、その触れ込みとして「今日の日本を考えるために二十世紀の歴史を振り返る談話」と言っていたのだから、この最も長期にわたり、しかも現代に直結する冷戦の歴史こそが戦後の日本にとって最も重要な意義を持つものとされるはずです。

冷戦で日本は、自由と民主主義、人権の重視、法の支配といった価値観を守る自由主義陣営に加わり、ソ連や共産主義の中国や北朝鮮などを中心とする社会主義・共産主義陣営と対峙しました。今や、そうした価値観を正面から否定する日本人は多くはいないと思います。その冷戦への言及をあえて避けたのは、「安倍談話」が、前述したことに加え、同じ年の年末に結ばれた慰安婦に関する日韓合意と並んで、戦後七十年という節目に自ら進んで行った「日本の謝罪」が、その本質だったと言わざるを得ません。そう見ると、「安倍談話」は、その文言においても社会主義者を自任する村山富市氏の出した「村山談話」以上に、日本の「侵略戦争」を謝罪した首相談話になっており、同時に冷戦中の共産主義国による侵略への言及を避け続けた点で、共産主義＝社会主義の陣営や中韓両国に対して、より宥和的な姿勢を示したものに見えてくるのです。

言うまでもなく、日本が自由主義陣営に加わるという選択をしたのは、サンフランシスコ講和条約締結（一九五一年九月）によってでした。周知のごとく当時、国内で講和に強硬に反対したのが、左翼・リベラル（当時はリベラルとは言わず、〝進歩派〟と言われましたが）勢力でした。ソ連や中国が反対する中での条約締結では西側との「単独講和」に過ぎず、むしろ東西両陣営との「全面講和であるべきだ」と批判したのです。しかし、**当時の日本政府が「多数講和」と表現した通り、講和条約に署名したのは四十八カ国に及び、講和会議に参加して署名しなかったのは、ソ連とその衛星国の計三カ国だけでした。**

反対勢力のいう「単独講和」など、実態とかけ離れた、いわゆる「為にする」悪質なプロパガンダに過ぎなかったのです。当時の日本国内の左翼・リベラル勢力はソ連など共産陣営の側に立っていましたから、日本がアメリカ主導の自由主義陣営に入るのを阻止したかったのです。ただそれだけのことで、その後の日本は深く、かつ左右に大きく分断されてしまい今日に至っているのです。冷戦は、いかに今日の日本に深い傷痕——それは今もまったく癒えていない——を残していることでしょう。

その後の日本の歩み、そして東西冷戦の結末を見ても、このときの日本の選択が正しかったことに疑問の余地はありません。それにもかかわらず、講和に反対した勢力はその後も生き残り、国防問題などで共産陣営の側を利するだけの主張や運動を続けてきました。日本共産党は、いまだに「あれは単独講和」だったとして、サンフランシスコ講和条約を批判しています。彼らの詭弁を知るだけでも、今日、冷戦を顧みる価値はあると言えます。

「ネオ共産主義」勢力の脅威

日本人が冷戦を忘れてはならないもう一つの理由は、軍備や核戦力の増強に励み、核兵器を使用する意図をちらつかせて他国を威嚇する現旧の共産主義国が、今も日本を囲むように存在している、ということです。

天安門事件のあと今日まで約三十年にわたって、急激な軍拡を続けてきた中国共産党の支配する今日の中国による世界の海洋への拡張主義が、そのターゲットを南シナ海とともに東シナ海の日本の領土に対しても向けていることは世界中が知っています。日本に多数の工作拠点をもって、日本人を大量に拉致し、弾道ミサイルの発射や核実験を繰り返す北朝鮮。そして、いまだに北方領土を不法占拠し続け、新たにウクライナのクリミア占領の挙に出てきたロシアは、旧ソ連時代と同様、日本の安全保障にとって潜在的な脅威であり続けています。

彼らの今の体制は、もはや十全な意味での共産主義とは言えないかもしれません。しかし、**彼らの体制が依拠しているのは、間違いなく「共産主義的価値観」です。その典型的特質は、たとえば強烈な「力への信奉」であり、法の支配や人間的な価値観――自由や個人の尊厳、人権の重視――を軽蔑、揶揄して貶め、それらに対する敵対の根拠を極端なナショナリズムに置いていることです。**この全体主義的ナショナリズムは、今日の中国、ロシア、北朝鮮のいずれにもはっきりと見られる価値観です。

ですから東アジア・日本周辺においては、実は、「冷戦は終わった」とはまだ到底言えないのです。マルクス流に言えば、〝ネオ共産主義〟とでもいうべき〝妖怪〟が、アジア・太平洋、とくに東アジア、西太平洋といった日本周辺を徘徊しているのです。

それにもかかわらず、日本人はなぜ、共産主義の脅威とそれによって起こされた冷戦を忘れ、それ以前の戦争についてだけ、一方的で無条件の反省と謝罪を強いられ続けるのでしょうか。このこと自体が、一つの工作、あるいは大規模なスケールの対日包囲網による「日本抑圧のための歴史戦術」「プロパガンダ戦略」ではないか、そしてそれによって、日本人の認識空間がさらに大きくゆがめられていくことが危惧されるのです。

では今日、差し迫った共産主義の脅威とは何でしょうか。第一に、まずなんといっても、中国や北朝鮮などの「軍事的脅威」です。**こうした国々は、今も徹底した唯物論に立脚し、同時にすべてを「力関係」に還元する共産主義的な思考から、つねに軍事力を重視します。対外的にもつねに力の優位をめざして、果てしない軍備拡張を続け、その軍事力をもって周辺国を圧迫し、威圧し、可能となれば侵略する。**これは、かつてのソ連と現在のプーチン体制下のロシアも同じで、もちろん共産党独裁下の中国、北朝鮮にはすべて当てはまります。

二つ目は、その「思想的脅威」です。共産主義、なかでもマルクス・レーニン主義の柱である階級史観は、「階級対立」をテコに、既存の秩序を転覆させて社会主義社会へ、共産主義社会へと〝歴史が進む〟ことが「科学的な発展法則」に基づく必然であり、それが人類の「進歩」なのだとしています。従って、その必然に基づいて歴史を進めること、**つまり革命を起こすこと、あるいは「進歩」を阻害する者をあらゆる手段で排除することは、「科学的法則」に従うことであるから、どれだけ反道徳的な謀略や不法な暴力を用いても、またどれだけ多大な犠牲を払っても**

「革命的」だとして「許される」ことになるのです。かつて日本では左派の知識人が「進歩派」とか「進歩的文化人」と呼ばれて大手をふっていたものですが、彼らの言う「進歩」とは、実は、彼らの言う「歴史」の必然的な進路――つまり共産主義社会――に向かう趨勢に寄与すること、全体主義的な革命の推進を意味し、実は日本にとってそれほど危険なものはなかったのです。

共産主義の本質を理解するカギはここにあります。国家間の外交や国内政治における対立、あるいは党派間の抗争において、彼らは敵と見たら容赦なく最後まで追い詰めて打撃を与え、可能なら「撃ち滅ぼす」ことを躊躇しません。彼らにとってそれは「進歩」のための「闘争」であり、今日でもよく見かける中国の「人民日報」や北朝鮮の「労働新聞」の常套句を使えば、敵に「鉄槌」を下し、「粉砕」するのです。そうした威丈高で暴力的な響きのある言葉遣いを好む彼らの言語空間は、民衆を搾取してきた憎むべき「階級の敵」つまり資本家や帝国主義に対する憎悪ゆえ許されるのだ、とされてきましたが、実は武力や暴力、謀略工作を肯定する前近代的で攻撃的な思想風土の上で培われたものなのです。

「顔は日本人、頭の中は外国勢力」

しかし共産主義の思想的脅威については、もう一つの側面を指摘しておかねばなりません。

昭和初期の日本で、中国問題についての有名なジャーナリストであった尾崎秀実（一九〇一〜一九四四年）は、「二十世紀最大のスパイ事件」といわれるゾルゲ事件で、日本の重大な国家機密をソ連に流したとして昭和十六（一九四一）年十月の日米開戦直前に摘発検挙され、昭和十九（一九四四）年十一月に死刑となった人物です。さらに近年では、近衛内閣のブレーン（嘱託）だった時代に、支那事変（日中戦争）の泥沼化を意図的に煽って、あえて戦線の拡大を煽動していたことが判明しています。

その彼は、自らの活動をこう語っています。

《吾々のグループ（筆者注・ゾルゲ諜報団）の目的任務は、特にゾルゲから聞いた訳ではありませぬが、私（尾崎のこと――筆者注。以下同じ）の理解するところでは広義にはコミンテルンの目指す世界共産主義革命遂行の為、日本に於ける革命情勢の進展と、之に対する反革命の勢力関係の現実を正確に把握し得る種類の情報、並に之に関する正確なる意見をモスコーに諜報することにあり、狭義には世界共産主義革命遂行上当面最も重要にして其の支柱たるソ聯を日本帝国主義より防衛する為、日本の国内情勢殊に政治経済外交軍事等の諸情勢を正確且つ迅速に報道し、且つ意見を申送ってソ聯防衛の資料たらしめるに在るのであります》（検事尋問調書第二十二回、みすず書房『現代史資料（2）・ゾルゲ事件（二）』より）

尾崎秀実　写真：毎日新聞社／時事通信フォト

尾崎秀実は確かに日本国籍をもつ日本人であり、東京帝国大学卒業後に元朝日新聞記者として近衛内閣を動かす立場になり、日本のエリート知識人として一九三〇年代を通じ日本の世論ばかりでなく、外交政策にも大きな影響を及ぼし続けた人物でした。しかし、これを読む限り、彼の思想・精神における祖国はソビエトです。この尾崎のような「顔は日本人、頭の中は外国勢力」という「共産主義的人間」を大量に生み出すのが、この思想のもつもう一つの脅威なのです。

共産主義の裏の顔――秘密のプロパガンダ工作

以上は、次に挙げる、共産主義に源を発する三つ目の脅威にも関連します。それはレーニン以来の、強度な謀略体質です。第二次世界大戦終了時、ソ連は東欧各国の政府に「トロイの木馬」という形で工作員を送り込んだり抱え込んだりし、次々と東欧各国のそれまでの自由主義体制を転覆させて「人民革命」を演出し人為的に共産体制に取って代わらせたのでした。実は、こうした政治工作はコミンテルン（一九一九年に世界革命をめざして設立された国際共産主義組織）が得意としたもので、とくに工作対象である自由主義国のメディアを使った宣伝工作は、戦間期のコミンテルン時代から「洗練」された手法を確立していました。

自らの共産党入党時の体験などをもとに、スターリン体制の非人間性を、いち早く暴いたハンガリー生まれの作家アーサー・ケストラー（一九〇五～一九八三年）

は、戦間期にベルリンにあったコミンテルン所属の秘密プロパガンダ工作機関「ミュンツェンベルク・トラスト」での自らの活動体験を自伝『目に見えぬ文字』（邦訳・彩流社）で明らかにしています。

「ミュンツェンベルク・トラスト」とは、資本主義国に対するコミンテルンによる秘密プロパガンダ工作の司令塔で、ワイマール時代といわれる第一次と第二次世界大戦の狭間（はざま）の時代のベルリンに本部がありました。リーダーのヴィリー・ミュンツェンベルク（一八八九〜一九四〇年）は、日本にも多くの地下組織をもった「反帝同盟」など共産主義のフロント組織（本来の所属を隠して、比較的無害な存在として世論にアピールし人々を勧誘する表（おもて）の組織）を世界中に組織したことで知られる宣伝工作の天才的な専門家で、一九二〇〜一九三〇年代に世界の共産主義革命をめざすコミンテルンの秘密工作の一端として、西側各国でメディア工作を展開していました。

上述のケストラーの自伝『目に見えぬ文字』によると、一九二五〜二六（大正十四〜十五）年頃の日本で、「ミュンツェンベルク・トラスト」が秘密裡に、その論調を操作するなどの対日メディア工作を「直接間接手がけていた（影響下においていた日本の）雑誌や新聞は十九に上って」いたといいます。

「ミュンツェンベルク・トラスト」による日本のメディア工作の端緒は、関東大震災（一九二三年）でした。当時、「被災者救援のため」続々と来日した国際支援団体、今で言う「国際NGO」の中に、たくさんのコミンテルンや英米情報部の要員がまぎれ込んでいたのです。とくにコミンテルンは「移動食堂」や「無料スープ接待所」の設営などの〝慈善活動〟を大々的に行い、その活動の一環として労働組合結成や社会主義を推進するためのパンフレットを発行したり、日本国内の組織に潤沢な資金を供給したり内々の戦術指導を行ったりしていました。さらに、実質的に「ミュンツェンベルク・トラスト」が極秘裡に関与する出版社や学校、シンクタンクなどの教育研究機関を日本で大幅に増やしていったのです。

そのうち目立ったものは、ソ連の救援船「レーニン号」などをめぐって、日本政府も内々に警戒、監視を試みてはいましたが、コミンテルン側はその網の目を巧妙にかいくぐって日本での恒久的な活動拠点作りにも携わっていました。もちろん、ソ連・コミンテルン関係の工作だけでなく、アメリカ、イギリス、中国の対日工作も震災救援に名をかりて活発に行われたことは当然のことでした。とりわけ、アメリカ大使館付武官のバーネットが震災下の日本で「救援」を名目に展開した対日諜報活動は大変活発なものでした。

ちなみにコミンテルンはその後、一九四三年に「解散した」とされますが、一九四〇年代後半、少なくとも一九五〇年前後から、東アジアでは主に中国と北朝鮮が日本や韓国に対する地下工作、秘密プロパガンダ工作（真の宣伝主体がだれかはわからない形でのプロパガンダ活動）を続けてきました。樋口恒晴・常磐大学教授の最近の論文では、戦後に北京に置かれた中国共産党主導の情報・謀略機関「極東コミンフォルム」が、主に朝鮮戦争時に日本に仕掛けていたような暴力革命を終始、企図して武器の供給にまで踏み込むような侵略的工作（いわゆる〝対日武装闘争〟）を行っていた事実を明らかにしています（月刊『正論』平成二十六年六月号）。

実際、中国共産党の最上級幹部の劉少奇（りゅうしょうき）をトップとしたこの「極東コミンフォルム」の存在、あるいは、一九四九年十月の共産中国建国以前に中ソが取り決めたとされる「東アジアにおける共産革命支援は中国が受け持つ」という〝役割分担〟の存在、同年十一月に北京で開かれた世界労連で劉少奇がぶち上げた「アジアの植民地・半植民地の運動は、中国と同じように人民解放軍による武装闘争によってのみ勝利しうる」という、いわゆる「劉少奇テーゼ」は、戦後冷戦初期の東アジア各地における数多くの武力紛争の原因と背景を考える上で重要なテーマですが、その全容はいまだ明らかにされていません。

その後も中国共産党は日本の「六〇年安保闘争」を、ソ連KGBと併行して日本国内での地下工作などによって煽動・支援し、同時に表の対日工作では、日中「国交正常化」に向けて日本の各界各層に対する種々の工作を繰り広げるなど、戦後の日本は、中国共産党による「革命の輸出」や地下工作と併行して、日本の市民運動と提携した大規模な合法活動にも影響を受け続けてきました。

しかし、日本のアカデミズムに籍を置く近現代史研究者や昭和史家たちは、これまでこうした昭和の戦前期と戦後期を一貫する共産主義運動の裏面史や謀略工作の歴史を一切視野から除外し、実証的で客観的な研究はほとんどしてきませんでした。戦後長年にわたり左翼・リベラルが牛耳ってきた日本のメディア、学界などの知的風土は、共産主義や「進歩派」の思想にきわめて寛容で、あたかも共産主義の脅威などは存在しないかのように振る舞ってきたと言っていいでしょう。それどころか中には、ソ連や共産中国を「平和陣営」などと呼び、逆に彼らと対立する自由主義陣営を「反動」「戦争勢力」「帝国主義」などと凶悪視し、本来のリベラルな知識人や保守派の学者を有名大学や各種学会、出版界、メディア界から排除し続け、その後も、共産主義やソ連陣営に親和的なオピニオン・リーダーたちをメディアや世論、大学や学会などで圧倒的な多数派を形成するよう、左に偏向した強固な研究・言論空間をつくり上げようとする勢力が根強く存在しました。実は、こうしたところにも、その背後には国際的なネットワークにつながる、各種の工作活動が絡んでいたことが、ようやく今、少しずつですが明らかになってきました。

さすがに今日では、ロシアや中国、北朝鮮の「ネオ共産主義体制」を〝平和陣営〟と呼ぶ知識人やメディアはなくなっています。

しかし、ソ連崩壊や中国の天安門事件によって共産主義の過ちが明確になったポスト冷戦の時代に、これを認めたくない日本人の「拠り所」となっていったのが、先に触れた「冷戦隠蔽」史観なのです。そして、この冷戦隠蔽史観が、共産主義陣営が犯した歴史的な悪行から人々の眼をそらせるために、冷戦の一つ前の戦争、すなわち大東亜戦争あるいは第二次世界大戦での日本の戦争責任を追及する運動を推進させてゆくことになるのです。安倍首相の「七十年談話」が、まったく冷戦体験に触れなかったのは、実は、今も日本に残る、こうした「冷戦隠蔽史観」に屈し、「日本による侵略戦争」のみを問題とし世界に謝罪することを目的とする談話だったからです。一体、どうして共産主義の犯した歴史上の責任をそれほどまでにして隠蔽、擁護しなくてはいけないのでしょうか。

近衛上奏文「隠蔽」の意味

「忘却」され「隠蔽」されているのは、戦後の冷戦やその中での共産主義の脅威だけではありません。

そのことを考える材料の一つとして、大東亜戦争末期に近衛文麿元首相が吉田茂(戦後に外相そして首相になる)らと一緒に作成し、昭和天皇に捧呈した上奏文、いわゆる「近衛上奏文」を取り上げてみます。

昭和二十年初め、戦局の極度の悪化を受けて、昭和天皇は重臣たちに意見を求めました。その一人として近衛が上奏したのは、昭和二十年二月十四日でした。その中に次のような条りがあります。

《敗戦は我国体の一大瑕瑾(傷になるもの――筆者注)たるべきも、英米の輿論は今日までのところ、国体の変更とまでは進み居らず、(勿論一部には過激論あり、又将来いかに変化するやは測知し難し――原文注)随て敗戦だけならば、国体上はさまで憂うる要なしと存候。国体護持の立前より最も憂うべきは、敗戦よりも、

敗戦に伴うて起ることあるべき共産革命に候》

このように上奏文は冒頭、日本の敗戦で心配されるのは、「国体護持」、すなわち天皇と皇室の存続を脅かす共産主義革命の勃発であると述べています。続けて、当時、連合国占領下の東欧で次々と親ソ容共政権の樹立に成功しているソ連の「世界革命戦略」の矛先は、今やアジアにも向いており、日本にも内政干渉（治安維持法廃止や防共協定の廃止の要求など）をしてくると予測したうえで、次のように国内情勢を分析しています。

《翻って国内を見るに、共産革命達成のあらゆる条件、日々具備せられ行く観有之候。即ち生活の窮乏、労働者発言権の増大、英米に対する敵愾心昂揚の反面たる親ソ気分、軍部内一味の革新運動、これに便乗する所謂新官僚の運動、及びこれを背後より操りつつある左翼分子の暗躍等に御座候。

右の内特に憂慮すべきは、軍部内一味の革新運動に有之候。少壮軍人の多数は、我国体と共産主義は両立するものなりと信じ居るものの如く、軍部内革新論の基調も亦ここにありと存候》

要するに、ソ連の干渉に呼応し、国内でも、敗戦後の混乱を利用し共産体制の樹立を図る「敗戦革命」のための条件――厳しい経済状況や過激化する世論――がすでに醸成されつつあり、左翼に操られた革命を主導せんとする勢力も形成されている、というのです。

一言で言えば、当時の日本は「革命前夜」だった、というわけです。戦前からずっと「防共」を重要国策として掲げていた当時の日本が、米英との戦争での敗戦によって、共産主義の脅威との戦いにも敗れる寸前だったということです。

しかも、その革命勢力の中で最も危険なのが「軍部内の一味」だと近衛らは指摘しています。祖国日本を守るために戦っていたはずの日本の軍部の中に、ソ連という別の「祖国」のために動く、スパイ・ゾルゲと、その配下あるいは協力者であった尾崎たち日本人グループ、すなわち「顔は日本人、頭の中はソ連勢力」という分子が潜入工作を行い、おそらく多数の仲間を獲得していたことは間違いない、ということです。

この近衛上奏文や、日本が当時、敗戦革命の危機にあったことは、大東亜戦争がなぜ起きたかを考える近年の議論でようやく今日、注目され始めていますが（近年、ようやく、この上奏文については、すぐれた研究書も刊行されるようになった。たとえば、新谷卓『終戦と近衛上奏文――アジア・太平洋戦争と共産主義陰謀説』彩流社、二〇一六年参照）、それにしても、なぜこれほど戦後の長きにわたって、この上奏文などをめぐる問題が、歴史研究において黙殺ないし封印されてきたのか、大変不思議だというしかありません。そして近衛上奏文に至っては、本来的な論証もなく、（他のテーマでは客観的な実証を踏まえる良識派も含めて）歴史学者や知識人、メディアから十分な検討もされずに「グロテスクな文書」「奇想天外」と一笑に付されて、あたかも隠蔽されてきたとしか思えない扱いを受けてきたのは、なぜなのか。

そもそも、考えるまでもなく、この上奏文は、近衛文麿という三度も日本国の首相になった重要人物が（先述のように吉田茂のような世界情勢に通じていた人物の助けを借りて練り上げ）、「天皇への上奏文」という最高の形式を踏まえてものしたものです。果たして一笑に付して終わりにする、まったく研究価値のない怪しげな資料なのでしょうか。

しかも何度もくり返しますが、上奏文の作成者は近衛一人ではない、ということを忘れてはなりません。上奏文には、近衛をリーダーに、戦後日本を指導することになる吉田茂ら早期和平工作を進めていた欧米派、開明派の人々、いわゆる「ヨハンセングループ」がかかわっていて、しかもその実質的な起草者も吉田茂その人であったと思われるのです。吉田は周知の通り、戦前は外務次官や駐英大使を歴任し、戦後には首相として、日本近代史に残る偉大な業績を残した人物として、そして、今日も「日本政治史上の偉人」と目される人です。この上奏文は、それほどの人物が書いたものなのです。

上奏後、吉田の自宅に身分を偽装して潜入していた陸軍憲兵隊のスパイによって上奏文の写しが漏れたことで、吉田はヨハンセングループの殖田俊吉（後の法務総裁）らとともに憲兵隊当局に逮捕されるのですが、このエピソードは、日本近代史上のスケールで言っても、大変重要なことを示唆しています。

そして何よりも、共産主義の脅威を告発した上奏文を、いわば「なかったもの」としてきた戦後の歴史学界やメディアなどの知的空間と、ソ連の仲介に絶対の信頼を置いて早期和平に徹底的に反対した当時の陸軍との間には、相通じるものがあるのではないでしょうか。つまり、両者に共通しているのは、明示・黙示の区別はあっても、共に反英米、つまりは親ソ的あるいは共産主義勢力、左翼勢力との大変親和的な関係だった、ということです。実際当時の陸軍中枢を牛耳っていた参謀将校の中には、共産主義と相通じる統制経済を推進し、ソ連と結ぶべしと考える者が大勢いました。

いずれにしても、共産主義の理念の虚像が暴かれた今、日本の左派は、戦前・戦中の日本は全くの軍国主義であり、自分たちはそれに抵抗し、戦後はその復活を阻止してきた、ということを最大の存在理由にしています。しかし、現実の昭和の戦争に至る歴史を詳細に見てゆくと、多くの、そして有力な左翼勢力や共産主義者が、戦争や軍国主義の推進に力を注いでいたことがはっきりと浮かび上がってくるのです。戦後日本の左翼勢力にとって、まさにその軍国主義を推進していたのが自分たちの〝先駆者〟ないし先輩たちだったということは、絶対にあってはならない歴史上の〝不祥事〟です。そしてそれこそが、**凶暴な侵略主義や人権弾圧が明らかになっているソ連や共産中国を「平和陣営」と呼んで信奉し、追従してきた冷戦時代の左派勢力の〝不祥事〟とともに、冷戦後、そして二十一世紀の日本で、なんとしても「隠蔽」し続けなければならない、「封印されるべき昭和史」の一コマなのではないかと思えるのです。**

第2節　日中戦争を泥沼化させたのはだれか――ソ連と尾崎秀実がやったこと

国家総動員＝「軍国主義」体制を推進した勢力の正体

では、戦前日本における共産主義の罪とは何でしょうか。もう一度、近衛上奏文を見てみましょう。

《抑も満洲事変、支那事変を起し、之を拡大して遂に大東亜戦争にまで導き来れるは、是等軍部一味の意識的計画なりし事、今や明瞭なりと存候。満洲事変当時、彼等が事変の目的は国内革新にありと公言せるは、有名なる事実に御座候。支那事変当時も、「事変は永引くがよろし、事変解決せば国内革新は出来なくなる」と公言せしは、此の一味の中心人物に御座候。

是等軍部内一味の革新論の狙ひは、必ずしも共産革命に非ずとするも、これを取巻く一部官僚及び民間有志（之を右翼というも可、左翼というも可なり、所謂右翼は国体の衣を着けたる共産主義なり）は意識的に共産革命にまで引きずらんとする

意図を包蔵し居り、無智単純なる軍人、之に踊らされたりと見て大過なしと存候》

ここで言う「国内革新」とは、国内の人的・物的資源、あるいは経済活動のすべてをきたるべき戦争に投入するため国家の統制下におく国家総動員体制と、それを実現する政治体制としての「大政翼賛体制」すなわち政党政治を否定した全体主義体制をめざした動きのことです。つまりは戦後の左翼勢力のいう「軍国主義」ですが、上奏文は、満洲事変の目的の一つは、実は左派的な「国内革新」にあり、現地満洲と呼応しつつ、日本国内でのその推進には軍部内あるいは、それと通じた革命勢力、ある種の「共産主義者」がかかわっていたというのです。

言うまでもなく、満洲事変（一九三一年・昭和六年九月）の原因には、激化する中国の排日ナショナリズムとりわけ満洲、なかでも南満洲鉄道（満鉄）の利権や日本の施政権下にあった大連・旅順を含む関東州に対する日本の存在を全面的に排除しようとする中国国民党政権の「革命外交」と中国大陸における日本人排斥運動（その多くは国民党の中にも浸透していた共産主義分子のいわゆる使嗾を受けた動きでした）に直面し、日本としては、満蒙権益をいかにして守るかという、より差し迫った要因があり、専ら「国内革新」のために事変を起こしたわけではありませんでした。また六年後の支那事変あるいは日中戦争（一九三七年〜）を「起こし」たのは、日本の華北進出を阻止しようとする中国側の抗日戦略にあったことは確認しておくべきでしょう。

しかし、その上で、問題だったのは、こうした外圧を利用して、日本国内において軍の一部と結んで推進された「軍国主義」化の動きでした。国際連盟からの脱退を迫られた翌年の昭和九（一九三四）年十月、日本の陸軍省新聞班が『国防の本義と其強化の提唱』というパンフレットを発行しました。「たたかひは創造の父、文化の母である」という、それこそグロテスクな一文で始まるそのパンフレットは、**「高度国防国家」、つまり総力戦を戦うための国家総動員体制の構築と、そのために議会政治や政党政治を停止し、資本主義を排して社会主義的な統制経済を実現することを提唱しています。**私の考えでは、あの敗戦に至る「昭和の悲劇」の本質は、この陸軍パンフレットにすべて集約されていると言っても過言ではありません。

この『国防の本義』パンフレットは、当時、陸軍省軍務局軍事課員で政策班長だった陸軍少佐、池田純久らが中心となって作成したとされています。池田は、陸軍士官学校（二十八期）、陸軍大学校（三十六期）を出た後、現役軍人として一般大学への「派遣学生」となり、昭和四年から七年まで三年にわたって東京帝国大学経済学部で学んでいます。当時の東大経済学部はまさに「マルクス主義の牙城」とも言える存在でした。池田は、その東大経済学部で学び、さらに昭和十二年には企画院（統制経済を推進する中央官庁）の調査官として勤務し、その後は関東軍に配属されています。当時の企画院は、有名な「企画院事件」（一九三九～四一年）が示す通り、エリート官僚の多くが、学生時代に共産主義活動で摘発されて転向を表明した、転向左翼出身のいわゆる「革新官僚」の「一大巣窟」だった、といわれています。

こうした経歴から、池田は、陸軍統制派の理論的支柱と目されました。皇道派とならぶ陸軍の派閥だった統制派は皇道派とは違い、社会主義的な傾向を強くもち、国家総動員体制を推進し、対外的には中国（国民党政府）に強硬姿勢で臨む一方、ソ連とは友好関係を維持して英米のアジア侵略に対抗する、という基本的な志向が支配的でした。その後、相沢事件（昭和十年八月）で暗殺されることになる陸軍省軍務局長の永田鉄山や、東條英機、武藤章らも、この統制派のリーダーでした。さきの陸軍パンフレット『国防の本義』は、この永田の影響下に作成されたものとされています。一方、皇道派はソ連と共産主義勢力を最も警戒し、それゆえに中国の蔣介石政権や米国との友好関係を重視していました。

そして、この池田こそ、一説によると近衛上奏文のいう「此の一味の中心的人物」であったとみられていた、といいます。

とりわけ旧熊本藩主細川家の当主で第二次近衛内閣の首相秘書官だった細川護貞(もりさだ)（細川護熙(もりひろ)元首相の父）の『細川日記』（中公文庫版）には、こんな記述があります。

「（筆者注＝近衛文麿の話によれば）小畑（同＝敏四郎(としろう)陸軍）中将の知人にて、某処より、梅津（同＝美治郎(よしじろう)陸軍大将）の児分(こぶん)の池田純久少将が、かつて企画院に在りて作成せる文書を手に入れたる人あるも、夫(そ)れには、計画的に支那事変を起し、日米戦争迄(まで)持つて来て、我国の社会制度を一新し、ソヴィエットの夫(そ)れの如くせんとの意図を看守するを得るものなり」

上述した通り、ここで「計画的に支那事変を起し」とあるのは、支那事変を拡大し本格的な戦争へと引きずっていった、という意味であることは明らかですが、一層重要なことは次の点です。

それは、近衛上奏文が、おそらく池田純久（「一味の中心人物」として）ではないかと見られてきた人物が公言していたとされる「（支那）事変は永引くがよろし、事変解決せば国内革新は出来なくなる」との思想は、軍部以外の人物にも共有されていたということです。その中でも最も重大な意味をもってくるのが、第一次近衛内閣の書記官長、第二次近衛内閣の司法大臣を歴任した風見章(かざみあきら)です。風見章の日記（『風見章日記・関係資料（一九三六～一九四七）』みすず書房）に、次のような記述があります。

「（支那事変で）世の中は大変革を予想せねばならぬ」

「今度の変革では華族なんて無くなつてしまふことになるだらう」

「前大臣や華族の乞食ができるやうにならなくては、どうしてもこの事変はおさまるまい」

「ひょっとしたらこの秋ごろは、米も切符制になるのでは無いかと思ふ。そうなれば当然土地も国家管理と云ふことになつてくる。統制経済はそこまで行かなくてはならぬ」

これらは昭和十四年七月の記述で、さらにまた同年十一月には、以下のことが書かれています。

「早く事変を収拾せんとするも望む可(べ)からざる也(なり)。却(かえ)つて国民の潑剌(はつらつ)たる奮発心を盛りあがらしむるに足る新しき政治を生み出すことこそ、事変処理のための先決要件たり」

風見らにとって支那事変は国内革新、あるいは、ある種の社会主義体制づくりのための手段だったと見ることもできます。これらはまさに、池田と目される軍部内の「一味の中心人物」の考えと一致します。**「支那事変は国内革新のために長引かせるべし」とは、支那事変を利用して、国家総動員体制の構築や社会主義ないし共産主義的な志向を宿した統制経済への移行を策するものだったということです。**

風見は、かつて「信濃毎日新聞」の主筆時代にマルクスの「共産党宣言」を紹介する連載記事を執筆するなど、近衛内閣中枢にまで入り込んだ、共産主義に強いシンパシーをもった社会主義者だったと見ることができます。ただし、池田については社会主義・共産主義者だったと断定できる史料は、寡聞にして知りません。

しかし、先に見たように、社会主義・共産主義社会の到来は科学的に「必然の進歩・発展」であり、その実現のためにはどれだけの犠牲を払ってもよい、と考えるのが本来の共産主義者の信念です。さらに、**ロシア革命を成就させたレーニンは、帝国主義国家同士を戦わせて社会を混乱、疲弊させて共産主義社会をめざす革命を起こす、という「敗戦革命」の戦略（それは「革命的祖国敗北主義」として、第一次世界大戦中の一九一五年に始まり、コミンテルンの先駆となった「ツィンマーヴ**

アルト運動」の一環として、国際的な社会主義運動の一部で定式化された）を唱えていました。

「どれだけ多大な犠牲を払っても支那事変を長引かせ、国内革新をせねばならない」という風見らの発想の根底には、こうした共産主義とりわけレーニン主義的な「敗戦革命」論に類する考えがあったように思われます。それは、自分の属する国を心底で裏切るようなことであり、しかも表面では既存の体制を守るような偽装を伴っているわけで、そうしたことは「科学」を名乗るほどの宗教的な信念がなければ、でき得ない発想でしょう。

共産主義からナチズム、ファシズム、軍国主義が派生した

彼らの発想と共産主義の関係について、もう一点、指摘しておこうと思います。

ドイツで今から三十余年前の一九八〇年代、ナチズムと共産主義をめぐって「歴史家論争」という大論争が繰り広げられたことがありました。この論争での焦点は、ナチズムと共産主義が全体主義という点では同じではないかということでした。とくに思想家のエルンスト・ノルテや、フランス人で共産主義から転向したフ

ランソワ・フュレらは、**思想的脅威・謀略的手法、極端な軍事力重視とともにはなはだしい人命軽視という武断的な姿勢も含めて、共産主義から影響を受けたのがナチズムであり、ナチズムと共産主義は「双子の関係」にあると提起しました。**

その議論を敷衍すれば、共産主義こそが全体主義の主たるバージョンで、そこからナチズムが、あるいはイタリアのファシズムが、そして「軍国主義」と言われる日本の戦時下の大政翼賛体制が、それぞれに派生した、と言えるわけです。

二十世紀の二つの世界大戦が、あまりに大きな人的損害をもたらしたのは、それが国家総力戦だったからです。二つの大戦では、参戦国の軍事力はもちろん、経済力や技術力、政治力など国力のすべてが動員され、長期間にわたって戦いが続けられました。それを支えたのが「総力戦思想」であり、第一次世界大戦下の主戦場だった欧州で生まれ、第二次世界大戦ではそれが世界中に広まりました。

決定的なのは、**この総力戦思想が、共産主義思想と極めて親和性が高いということです。こうした国民生活の多方面の活動を社会主義的な発想で国家が統制するという思想は、統制経済、計画経済、そして一国一党という「軍部独裁」は、その赴くところプロレタリアート独裁あるいはその「前衛」たる共産党の独裁による共産主義体制へ向かう全体主義の前段階の一形態と言えるかもしれません。**つまり、共産主義のイデオロギーが二十世紀を「世界大戦の世紀」にしてしまい、それが人類にいかに多大な犠牲を強いて今日に至っているか、ということの、これは有力な一例証なのです。

戦前の日本で、実は社会主義、共産主義に傾斜した左派勢力（陸軍統制派、革新官僚、「転向」知識人、民間偽装「右翼」）が推進したのが、この「総力戦」の思想だったのです。

ロシア革命直後の日米対立工作

これまで見てきたような「昭和の戦争」と共産主義の関係についての専門的な関心や議論は、欧米や旧ソ連で新史料の大量公開が始まった十数年前から、一部の真摯な歴史研究者の間で高まってきました。たとえば、中国共産党とコミンテルンが日本と蔣介石の国民党政府を戦わせようとして、日中の本格衝突へと発展した支那事変（日中戦争）の具体的な発生経緯や、ルーズベルト政権に巣くったソ連のスパイたちによるアメリカの対日開戦誘導など、我々日本人にとって多大な関心を向けるべきテーマも次々と浮上してきました。後者の代表が、当時の日本には到底、呑むことのできない和平条件を日本に突きつけ、日本に対米開戦を最終決定させせた、あの「ハル・ノート」(一九四一年十一月)の作成に、ソ連のスパイだったことが裏付けられた米財務次官補ハリー・デクスター・ホワイトが関与した、というものです。

さらに、最近わかってきたことは、日米を戦わせるための共産主義勢力・ソ連の工作は、実は開戦のはるか以前から行われていた、ということです(最近の実証的な研究の成果として、渡辺惣樹『第二次世界大戦　アメリカの敗北——米国を操ったソビエトスパイ』文春新書二〇一八年がある)。

たとえば、レーニンは一九二〇年の段階で、日米の対立を煽り、両国を戦争に導くのが共産主義者の任務だと演説しています。

《両者(日本とアメリカ——筆者注)の間には戦争が準備されている。両者は、その海岸が三〇〇〇ヴェルスタもへだたっているとはいえ、太平洋の両岸で平和的に共存することができない。…地球は分割ずみである。日本は、膨大な面積の植民地を奪取した。日本は五〇〇〇万人の人口を擁し、しかも経済的には比較的弱い。アメリカは一億一〇〇〇万人の人口を擁し、日本より何倍も富んでいながら、植民地を一つももっていない。日本は、四億の人口と世界でもっとも豊富な石炭の埋蔵量とをもつ中国を略奪した。こういう獲物をどうして保持していくか？　強大な資本主義が、弱い資本主義が奪いあつめたものをすべてその手から奪取しないであろうと考えるのは、こっけいである。……

このような情勢のもとで、我々は平気でいられるだろうか…共産主義政策の実践的課題は、この敵意を利用して、彼らをたがいにいがみ合わせることである。そこに新しい情勢が生まれる。二つの帝国主義国、日本とアメリカをとってみるなら——両者はたたかおうとのぞんでおり、世界制覇をめざして、自らが略奪すべきと考える権益をめざして、互いにたたかうであろう。…我々共産主義者は、日米のうちの一方の国に対抗してもう一方の国を利用しなければならない》（一九二〇年十二月六日の「ロシア共産党（ボルシェビキ）」モスクワ組織の活動分子の会合での演説。『レーニン全集』より）。

実は、このレーニンの演説からさらにさかのぼるロシア革命直後の段階から、明白に日米対立を煽り、日米戦争へと導こうとする、共産主義勢力による一大工作が始まっていたのです。

その一端を示すのが、一九一七年十二月十九日付の『イズベスチヤ』紙（革命政権の主勢力であったボルシェビキやソ連政府の公式新聞）です。同紙は、旧帝政ロシア政府と日本との間で結ばれた第四次日露協約（一九一六年・大正五年七月）に、第三国（主としてアメリカを指す）の満洲への影響力の増大、参入を阻止するために日露協約には対米戦争を主眼とする攻守同盟を意味する秘密条項があることを暴露し、「日本による対米戦争の陰謀」として全世界に報じたのです。

たしかに日本は、日露戦争後に帝政ロシアと四度にわたって日露協約を結んでいます。山県有朋らが日露戦争の後、ロシアによる復讐を恐れて、満洲を南北に分割して日露で棲み分けるという、一種の親露外交を進めていたからです。それは、満洲権益に強引に参入しようとするアメリカを日露両国で牽制しようという目的も兼ねるものでした。

ところが、ロシア革命で樹立されたソビエト政権は、帝政ロシアが各国と結んでいた秘密条約、あるいは条約に付随する秘密条項を次々と暴露し始めました。そして、その第四次日露協約の秘密条項で日露両国が「敵」として攻守同盟の対象としている「第三国」とは、アメリカ（およびイギリス）のことだと同紙は強く示唆して報じたのです。

日本と英米、とくに日米を離間させるソ連の最初の工作だったこの暴露記事の効果は大きく、アメリカのウッドロー・ウィルソン政権は急速に日本に対する警戒の念を強めました。

記事が出るわずか一カ月前には、「石井・ランシング協定」が結ばれて、アメリカは日本の満洲での特殊権益を認めてもいいと約束していました。ところがこの暴露によって、日本は帝政ロシアと組んでアメリカを排除しようとしていた、ということにウィルソン政権は強い危機感をもって受け止めました。

そこから、満洲から日本を排除しなければ、やがて日本の手でアメリカは中国大陸から追い出される、とウィルソン政権は考え始めたのです（のちの大統領フランクリン・ルーズベルトは、この当時、ウィルソン政権の海軍次官補として政権中枢にありました）。以後、アメリカは、「日本を満洲から排除すべし」という中国ナショナリズムに決定的に肩入れをし始め、「日本の災厄」と言われたワシントン会議（一九二一～二二年）への道が始まったのです。

しかし、その「中国ナショナリズム」なるものの本質と内実は一体いかなるものだったのでしょうか。実はそこから、共産主義にアメリカが衝き動かされて、日米衝突への道が本格的に始まったのです。

ソ連に反日を刷り込まれた中国ナショナリズム

こうした流れの中で、当時のウッドロー・ウィルソン米大統領は、一九一九年一月にパリで始まった第一次世界大戦の講和会議に中国のオブザーバー参加を認めました。そのことが後述する「五四運動」（一九一九年五月四日）にきっかけを与え、中国の反日ナショナリズムは爆発的に高揚してゆくのです。

そしてアメリカの対日警戒心は、ウィルソンの後任のウォレン・ハーディング大統領の時代にさらに強まり、ワシントン会議での明確な対日圧迫政策へとつながっていきました。この会議では、米国が中心になって、日本に圧力をかけ、日本が第一次世界大戦の戦勝国としてドイツから継承した山東省の権益を中国に返還させ、中国の排日運動に対抗して日本が日露戦争で獲得した満洲の権益を確保することを困難にする九カ国条約、日英同盟を破棄することを決めた四カ国条約、そして日本の主力艦の保有量を英米の六割に制限する海軍軍縮条約を日本は締結させられたのです。

ワシントン会議で締結されたこの四つの条約や取り決めはすべて、日本を徹底的に抑え込み、さらに明白に日本の孤立化を推進しようとしたもので、日本がなぜ、こんな不利な合意を受け入れたのか、今日でも理解に苦しむほど拙い日本外交であったと思います。やはり、日本全権としてこの会議を取り仕切った駐米大使で、このあと外相に就任する幣原喜重郎の異常なほどの親米路線がその元凶であったと言わねばなりません。

話を、さきの「五四運動」に戻すと、第一次世界大戦中、日本が敗戦国ドイツの山東省の権益を継承し、併せて満蒙の権益を拡大することを中華民国政府に認めさせた「対華（支）二十一カ条要求」（一九一五年）の無効を中国はパリ講和会議で強く求めましたが、各国全権によって拒否されました。これに反発した北京の学生らが、一九一九年五月四日に始めたのが強烈な反日運動である五四運動で、日本に対する激しい抗議活動が中国全土に広まりました。

そしてこの五四運動を主導したのが、当時北京大学に在職していた李大釗と陳独秀という、のちの中国共産党創立（一九二一年七月）時の中枢メンバーです。彼らは一九一八年に北京大学で「マルクス学説研究会」を立ち上げており、すでに社会主義・共産主義にはっきり傾斜していました。五四運動は明らかに、一九一七年のロシア革命の成功、さらには一九一九年三月のコミンテルン結成による世界的な共産主義の影響力増大を受けた動きでした。

この五四運動を含めた中国のナショナリズムの高まりは一九一九年七月、ソ連外務人民委員代理（外務次官）のレフ・カラハンが出した「カラハン宣言」で、さらに反日容共色を強めることになりました。この宣言は帝政ロシアと中国の間で結ばれた不平等条約を破棄し、ツァー（帝政ロシア君主の正式称号）が中国から奪った権益を無条件で返還するという、一見すると画期的な内容でした（結局、その後、ソ連はこの約束を破り続けましたが）。また、「カラハン宣言」は日本と旧ロシアが満洲やモンゴルで互いの権益を承認しあっていた一連の日露協約の無効もアピールし、ここでも世界革命戦略として中国の反日感情を煽ったのでした。

しかし帝政ロシアが奪った権益の中国への返還という約束はくり返し反故にされ、カラハン宣言は中国を引き寄せるための「撒き餌」であり、ソ連の中国に対する革命工作にすぎなかったことは明らかでした。けれどもこの年の十月に上海で中国国民党を旗揚げ（中華革命党を改組）した孫文はこれに騙され、「連ソ容共」に傾いていきました。

その後もコミンテルン＝ソ連とのさらに深い関係へとのめり込んでいった孫文によって、一九二四年には第一次「国共合作」がなされ、そこで国民党内部に中国共産党からの多数の秘密党員の潜入を許したことが、二十五年後の一九四九年、国共内戦における国民党の決定的敗北へとつながっていったのです。その結果、今なお中国共産党の一党独裁が続く中華人民共和国が誕生したのです。

いずれにせよ、「中国ナショナリズム」は、世界革命をめざすソ連＝コミンテルンに煽動されてその結果、画期的に高揚したのであり、そこには当初からコミンテルンの反日・排日路線が深く植え込まれていたのです。

日本とアメリカは、コミンテルン発足の当初から、この、戦争を手段としてでも世界に共産革命を起こすという、血なまぐさく冷徹このうえないレーニン主義の手玉にとられていたのです。やがて、一九三〇年代に入ると「コミンテルンの脅威」への対抗から反共姿勢を強める日本とドイツが手を組み（一九三六年の日独防共協定）、他方それに対してソ連の対米工作などに影響されて反日戦略と容共的スタンスを次第に強めていくルーズベルト政権下のアメリカとソ連が手を組むという、実に奇妙で悲劇的な世界史の構図に誘い込まれていきました。

第3節　共産主義が誘導した日米開戦

単なる情報スパイではなかった

イデオロギーとしての共産主義は、もちろん日本の国内にも、中国より早い時期から浸透していました。前出の李大釗は一九一三〜一九一六年にわたって日本の早稲田大学に留学し、この間に社会主義思想を学んでいます。この当時、中国の知識人たちが読んだ社会主義・共産主義理論の文献は、ほとんどがヨーロッパから日本に輸入され、そこで邦訳されたものをさらに中国語に訳したものでした。

日本国内に浸透した共産主義の脅威といえば、その極めつけはなんといってもソ連スパイ＝ゾルゲ諜報団の中心のメンバーで、同時に近衛内閣のブレーンだった、前節で扱った尾崎秀実（ほつみ）です。そこで先述した通り、尾崎は、ソ連（赤軍の諜報部門である参謀本部第四局＝ＧＲＵ）のスパイ、リヒャルト・ゾルゲとそのグループを通じて日本の軍事・外交の機密情報をソ連に流したとして昭和十六年十月に逮捕され、十九年にゾルゲとともに死刑に処されています。

ところで、尾崎らがゾルゲを通じてソ連に通報した日本の機密の中でも最も「重要」だったのは、昭和十六年夏にドイツ軍のソ連侵攻に呼応して日本軍が「北進」、つまり北方でのソ連軍との戦いに赴くのではなく、英米蘭との衝突も覚悟した「南進」を選択した、という情報だとされてきました。近年ではスターリンは他のいくつもの情報源からもこの情報を得ていてゾルゲの情報は重視しなかったという説もありますが、いずれにせよ、ソ連はこれで極東方面に配置していた大量の赤軍部隊を、一九四一年後半の決定的なタイミングで欧州での対独戦に回すことができ、その後の対独戦の展開に大きな影響を与えたことは間違いありません。

しかし、尾崎が共産主義者（もちろん、逮捕されるまで自らが共産主義者であることを隠していました）としてやった日本に対する国家反逆行為は、単なる機密漏洩にとどまるものではありませんでした。むしろ、ゾルゲへの情報面での協力は尾崎の「歴史的役割」としては副次的なものにすぎませんでした。

元朝日新聞記者で、広くその名を知られた「中国通」としての立場を利用した、世論操作のための言論活動（主として日中戦争の拡大を煽る言論活動）や、近衛内閣中枢における政策決定過程への数々の秘密の「影響力工作」によって、日中戦争の拡大と泥沼化、ひいてはそれを日米戦争へと向かわせ、その敗戦による日本の共産主義革命に向けて、意図的に日本の国策を誘導するという一大工作にも手を染めていたのではないかと言われています。

そのうち昭和十二～十三年の日中戦争の重大局面において、尾崎が意図的に進めた戦争の拡大と泥沼化は近年ようやく、数々の証拠から知られるようになってきました。日本と中国を疲弊させ、とくに尾崎の視野の中では、一九二七年以来「剿共（きょう）（「共産党を滅ぼす」の意）」に転じた国民党によって壊滅寸前にまで追い込まれていた中国共産党の窮状を救い、中国の共産革命を支援することも目的でした。さらに軍事戦略的にも、日本軍を中国内に釘付けにすることでソ連を防衛するという目的も彼の重要な使命として存在しました。さらに言えば、日中戦争が泥沼化してゆけば、必然的に日米間の対立が深刻化し、やがては日米戦争へとつながる。このことは、尾崎らの考える「日本の敗戦革命」というシナリオを支える中心的な構想であり、現に後で見る通り、尾崎自身、逮捕後の取調べで率直にそう語っています。

それには、まず、日中戦争の拡大↓泥沼化が不可欠でした。日本と国民党軍との間でいわゆる支那事変が勃発した翌年の一九三八（昭和十三）年春、尾崎は有力な月刊誌『改造』五月号に「長期抗戦の行方」という論文を寄せています。この論文はすでにさまざまなところで引用されていますが、「日本国民が与えられている唯一の道は（この）戦いに勝つということだけである」「日本が支那と始めたこの民族戦の結末を附けるためには…敵の指導部中枢を殲滅（せんめつ）する以外にない」と事変の徹底継続を明確に訴える内容です。さらに、同じ頃、『中央公論』六月号に寄せた論文「長期戦下の諸問題」でも、尾崎は日中の早期講和に反対し長期の戦争継続を主張しています。

そして、日中戦争の拡大・泥沼化を目論んだ工作はこうした世論操作だけでは終わりませんでした。

周知のように日中戦争の渦中では、日本と蔣介石政権の間で和平工作が何度もくり返されましたが、それらはことごとくつぶれていきました。その挙句になされたのが汪兆銘（おうちょうめい）工作です。蔣介石政権とは和平せず戦争を続け、代わりに国民政府の重鎮で和平派だった汪兆銘が樹立する新たな親日政府を日本が承認し、その新政権との間で対中和平を実現するという計画でした。だが、そんなことをすれば蔣介石政権との和平が未来永劫、成り立たなくなることはだれの目にも明らかでした。そんなことをすると日本軍が中国全土を軍事支配下に置かない限り事変は解決できなくなるうえ、蔣介石政権を支援する英米をますます敵に回すことも意味していました。果たして歴史はその通りに動きました。

なぜ、そのような致命的に誤った、カッコ付きの「和平工作」に当時の日本が血道をあげたのでしょうか。この、実質は「泥沼化」工作に過ぎない、「和平」とは名ばかりの、危うい工作に、実は尾崎らが関与していたのです。

南京陥洛（一九三七年十二月）後、近衛文麿首相の声明が三次にわたって出されました。三八年一月十六日に出された「第一次近衛声明」は、有名な、いわゆる「国民政府を対手（相手）とせず声明」です。これにより、当時進行していたドイツの駐華大使トラウトマンを介した国民党政権との和平工作（トラウトマン工作）は頓挫してしまいました。しかし、この「対手とせず」声明の真意や出された詳しい経緯を明らかにする史料は、なぜか今もって見つからず、その所在もはっきりしていません。ただ、このときの近衛声明が決定的に日中和平の可能性を妨害し、その後の和平工作を困難にしたことには疑問の余地がありません。

日本への警戒心を呼び起こした「東亜新秩序」建設の声明

次いで「第二次近衛声明」と呼ばれる日本の新方針が、同年十一月三日に出されました。これは、「対手とせず」声明を撤回して蔣介石政権にも交渉を呼びかけた、とされる内容ですが、重要なのは「帝國（ていこく）の冀求（ききゅう）する所は、東亞永遠の安定を確保すべき新秩序の建設に在（あ）り」という点でそれは東アジアの現存の秩序を根本的に変えることを謳っている点にありました。つまり、当時東アジアの主要な勢力であった欧米との決定的な対立を不可避なものとしたわけで、これを大々的に日本による「東亜新秩序の建設」という国策目標として明示的に盛り込まれました。これによって、尾崎ら近衛首相のブレーン集団でもあった、昭和研究会が従来から唱えていた「東亜協同体論」に基づくこの「東亜新秩序」の建設が、以後、日中戦争だけでなく、〝欧米排撃（はいげき）〟という、日本のより大きな国策として、そして近衛内閣の新しい戦略目標であるとして、広く欧米諸国では受け止められたのです。

とりわけ、この声明は、同年十一月二十八日、東條英機陸軍次官（当時）が東京の軍人会館（のちの九段会館）で行った「蘇支（そし）（ソ連と中国）同時正面作戦の準備」演説とあわせて、国際社会に日本への警戒心を呼び起こしたことで重大な意味を帯びてきます。

東條は演説で、蔣介石が日本への抵抗を続けるのは、中国と共に、東南アジアやインドに権益を持つ英仏、さらに中国を日本との戦いで疲弊させて赤化させようと目論むソ連が、日本と戦い続けるように中国を支援しているからだと批判しました。おまけに東條は勢い余って日中戦争に対して、まだ比較的「中立」だったアメリカに対しても警戒を呼びかけたうえで、「東亜新秩序建設」のために、日本は中国と共にソ連との二正面戦争に備えるべきだと主張したのです。

これは公開の場での演説だったため、新聞でもセンセーショナルに報道されて日本国内の株式市場は暴落しました。欧米はこの演説を「第二次近衛声明のいう〝東亜新秩序〟がめざすのは、日本が中国全土を押さえて、日満支経済ブロックを建設して、東アジアを全部日本の勢力圏にしてしまうことだ。さらに日本は東南アジアにも南進するつもりだ。これは東アジアから欧米勢力の一掃を目論んでいる日本のアジア・モンロー主義の宣言だ」と解釈し、これこそ、今や明らかになった日本の〝本音〟だと捉えたのです。大きな構図で言えば、このとき、日本と欧米の和平の道は断たれたと言っていいでしょう。そしてこれこそ、さきの「蔣介石を対手とせず」声明と並んで、日本にとってきわめて重大な歴史の岐路だったのです。

尾崎が近衛声明を執筆していた！

これらに加えて、同じ年の（一九三八年）十二月二十二日に出された「第三次近衛声明」は、戦争相手の中国に対して、「善隣友好、共同防共、経済提携」という、日中和平に関していわゆる「近衛三原則」を示したものと言われていますが、一層重要なのは、〝東亜新秩序〟の建設に向けて、汪兆銘（おうちょうめい）に新政権樹立への決意を促（うなが）した条（くだ）りです。すなわち、「支那に於（お）ける同憂具眼（どうゆうぐげん）の士と相携（あいたずさ）へて東亜新秩序の建設に向つて邁進（まいしん）せん」との文言です。実は前月二十日、汪兆銘の密使、高宗武（こうそうぶ）らが秘密裡に訪日し、日本政府との間で「中国側による満洲国の承認」「日本軍の二年以内の撤兵」を条件にした和平推進が合意されていたのです。

ところが、公式に発表されたこの第三次声明には、なぜか「日本軍の撤兵」は盛り込まれていませんでした。これは日本側の重大な約束破りでした。しかし、すでに蔣介石との離別を決意し、国民政府のあった重慶を脱出し、日本側の庇護下に入っていた汪は、やむなくこのような彼にとって全く不利な日本が押しつける「和平路線」に突き進まざるを得ませんでした。そして一九四〇年に南京国民政府（いわゆる汪兆銘政権。戦後は日本の「傀儡政権」と言われる）の樹立に至ります。いずれにせよこの汪兆銘工作とともに「日本軍の撤兵」がなくなった時点で、重慶で日本への抵抗を続けていた蔣介石の国民政府との和平の道は最終的に断たれたと言っていいでしょう。そしてこのあとは、泥沼化した日中戦争から足を抜くことが不可能になった日本が、必然的にアメリカとの対立を深めてゆく流れになるのでした。

そして、この第三次近衛声明の作成に、近衛内閣に嘱託として政権中枢に入り込んでいた尾崎秀実が非常に大きな役割を果たしていたことがわかってきました。

尾崎のこの近衛声明への直接的関与の証拠と考えられるのは、近衛首相の側近の一人で、「ゾルゲ諜報団事件」で尾崎に国家機密を漏らしたとして起訴された犬養健の公判（結局、上告審では無罪となる）での弁護関係書類です。犬養は尾崎秀実の親友で、第一次近衛内閣では衆議院議員から逓信省参与官に政治任用されていましたが、頻繁に首相官邸を訪れ、政権中枢の動きに極めてよく通じていた人物です。その犬養の弁護関係資料が京都大学に保管されており、このほど筆者の主宰する研究グループがその内容を確認しました。この資料の中で、犬養が、第三次近衛声明案について「尾崎が牛場（友彦——筆者注）首相秘書官と共に執筆したり」と断言しているのです。

この犬養の公判資料によれば、尾崎が書いた声明案には「文章等に陸軍方面に異論」があったため、別人によって変更され、近衛首相の意見も加えて完成したといいます。しかし、その完成作業が行われた日、「当夜は同じ首相官邸に勤務せる横溝（光暉――筆者注）内閣情報部長にすら秘密にして居たるに拘わらず、尾崎は何時風見書記官長より諮問あるやも計られずとして、首相秘書官室（近衛声明執筆の部屋）の真下の自室に夜まで居残」っていたといいます。

尾崎がこの第三次声明の内容をどこまで左右したか、その機微にわたる詳細までは明らかでありませんが、日本の命運のかかったこの重要文書作成の一端には確実に関わっていたわけで、その過程に関わったのが、支那事変の和平をつぶし、日中両国を疲弊させ共産革命を起こすことを目論んでいたことを後になって告白した人物（すなわち尾崎）だったことは確実なのです。これが日本の命運を狂わせた第一級の「歴史的スキャンダル」でなくて何でしょうか。なのに、これまで日本の昭和史家たちは、なぜこの点をもっと深く研究してこなかったのでしょうか。全く理解に苦しみます。

ソ連のスパイ工作員・尾崎はなぜ近衛に取り入ることができたのか

この犬養公判資料には、さらに驚くべき事実も記されています。

「昭和十三年五月（ママ。正しくは七月――筆者注）高宗武来朝の節、軍人にあらずして面会したるもの左の如し、松本重治、西園寺公一、尾崎秀実、犬養健（案内者二名略）。右のうち尾崎は西園寺の友人なるを似て列席したりと（当局に――筆者）陳述し置きたり。これは影佐（禎昭大佐。高宗武来日当時の陸軍省軍務課長。昭和十七年中将進級――筆者注）中将の迷惑となるべきを恐れたるなり。何となればかかる極秘の特使と面会し得る者は当然、当時の参謀本部又は陸軍省の認可承諾を要したる筈なればなり」

当時の尾崎は一民間人に過ぎませんでした（尾崎が朝日新聞を辞めて内閣嘱託となるのは、高らが日本に滞在中「昭和十三年七月五〜九日」の七月八日でした――筆者）。そんな人物が、陸軍が取り仕切る中国側密使との極秘交渉の場に同席していたのです。高宗武の極秘訪日という汪兆銘側のこの動きは、もちろん蔣介石にも秘密にされていました。ところが犬養がわざわざ「西園寺の友人」と断って尾崎を同席させていたのですから、尾崎は内閣嘱託就任前からこの極秘の会合に参加していたのでしょう。そもそもこの嘱託就任の日付自体に、一民間人が外国要人と政府中枢の秘密会合に参加していたという〝不祥事〟を隠蔽しようとした意図も感じられます。極めて隠密裡に、国の命運をも左右する機微なやりとりがなされた場に、後に公となったこととはいえ、ソ連のスパイ工作員である尾崎の同席を許したのは一体だれなのでしょうか。

しかも犬養は、尾崎が和平について「支那問題では絶望的に考えて」いたと指摘しており、尾崎が陰に陽に和平に反対していたことも明言しています。犬養の証言では、当時の近衛内閣あるいは日本政府部内において、尾崎の意見は日支和平問題でもつねに尊重されていたといいます。そんな尾崎が極秘の和平交渉の場に同席し、しかも近衛声明の文案の起草にも関わっていたのです。このことにこそ、汪兆銘工作や近衛声明の隠された本質が示されていると言ってよいでしょう。

このように、第二次・第三次近衛声明は「対手とせず」の第一次声明以上に、その後の日本の命運にとって実に深刻な意味を持っていました。そして、ルーズベルトはこのころから、日本の長期的なアジア支配の意図を確信し、日本を制裁によって追い詰め、日米の衝突を展望しつつ、ナチス・ドイツとの戦いに持ち込んでいくことを考え始めたと思われます。その場合、もちろんルーズベルトは、日本などは、対ドイツ戦の余力で簡単に粉砕してしまえると考えていたと思われます。

それが証拠に、第二、三次声明の一カ月後、ルーズベルト政権は蔣介石政権に一挙に二千五百万ドルの巨額支援を決定し、日本への徹底抗戦を促しました。さらに、翌年一月三十一日にはルーズベルトは多くの上院議員を前にして、日本はナチス・ドイツと同じ野蛮な侵略主義の代表になったとし、今やドイツの実質的な軍事同盟国として東アジアから世界に脅威を及ぼす存在となった、とまで論じました(David Reynolds, From Munich to Pearl Harbor : Roosevelt's America and the Origins of the Second World War, Chicago, 2001, chapter3、とくにp. 53)。

これ以後、日米開戦に至るまでの、その後の日本の動きは、この一九三八年末から翌年一月までの間に生じた歴史の大きなうねりへの、いわば後追いでしかなかったのです。

「世界戦争=世界革命」を企んだ尾崎の活動

尾崎の国策誘導工作の目標は、実は支那事変の泥沼化にとどまるものではありませんでした。

彼が一九四一年十月に摘発された後にしたためた手記や捜査当局による取調べ（訊問）調書など膨大な資料をまとめた「みすず書房　現代史資料」シリーズの『ゾルゲ事件（二）』をもう一度、虚心坦懐に読み返していくと、彼の工作の最終目標が彼自身の言葉ではっきりと示されていることがわかります。

それは、日本を「南進」させて米英と戦わせることであり、ヨーロッパでの戦争と一体となった世界規模の大戦の実現であり、そして、その戦争を通じた日本の共産主義化、最終的には世界革命つまり全世界の共産主義化でした。そのために行った工作についても、尾崎は上記の資料の中で自らその成果を誇るかのように率直に語っています。

これらの資料に今日もう一度、一切の予断なく素直にあたると、支那事変から対米英開戦に至るまで、日本は彼の描いたシナリオ通りの道を歩んでいることが自ずからわかります。このことには、今さらながら慄然とせざるを得ません。

その『現代史資料（2）・ゾルゲ事件（二）』の刊行は昭和三十七（一九六二）年であり、それから半世紀以上が経っています。しかし日米開戦の背景について、彼の工作を取り上げた学術的分析はいまだ皆無です。私はこのことも、日本の学界・

アカデミズムを牛耳ってきた戦後の左派的な歴史観あるいは「東京裁判史観」の信奉者による「歴史の隠蔽」の一例ではなかったかと考えています。すなわち、彼ら、つまり戦後口をぬぐって〝平和陣営〟を自称してきた勢力、あるいはその先輩のマルクス主義者ないし〝進歩的〟リベラル派の学者・研究者たちこそが「戦前・戦中に軍国主義を推進し、日本を戦争に追いやった」という、自らの、あるいは恩師たちの〝不祥事〟の封印に加担してきたと言えるかもしれません。あの戦争には「左翼が（意図的に）引き起こした戦争」という面がたしかにあり、今後この視点からの一層詳細な検証が求められます。

あの巨大な悲劇をもたらした大東亜戦争が、尾崎たちの工作だけによって始まったものではないことはもちろんです。だが、なぜ戦後日本の歴史家は尾崎の工作をこれほどまでに無視できるのでしょうか。戦後の歴史学界は、それが日中戦争の泥沼化や日米開戦の要因の一つとしては決して取り上げず、尾崎の工作が日中戦争の泥沼化や日米開戦の決定にどれだけ影響したのかということさえ検証せずにきました。このことは、日本の近現代史研究が、まさしく実証に背を向け、日本の左派陣営の歴史上の汚点を隠そうとする、党派的な立場から、あるいはそのことに対し見て見ぬふりをしてきた戦後史学による巨大な「歴史歪曲」の一大営みだったと言えると思います。

前述の『現代史資料（2）・ゾルゲ事件（二）』の中には、尾崎が早くから、具体的には日中戦争勃発時から、日本を来るべき世界大戦に巻き込むことを企図していたことも明確に告白している記述がくり返し出てきます（以下の引用中、ルビは筆者）。

「私は昭和十二年七月十一日北支事変に対する日本の強硬決意が決定せられた時支那事変の拡大を早くも予想したのみならず世界戦争へ発展することを断定し、それのみか、私の立場からして世界革命へ進展すべきことをすら暗示したのでありました。（昭和十二年八月号中央公論誌上に北支問題の重要性を論じ『（略）必ずや世界史的意義を持つ事態に発展するであらう』と述べたのは（略）この意味であつたのであります）」（「尾崎秀実の手記（一）」）

「第一次世界大戦がソ聯を生んだ如く、第二次世界大戦は其の戦争に敗れ或いは疲弊した側から始めて多くの社会主義国家を生み、軈(やが)て世界革命を成就するに至るものと思つて居りました」（「第九回司法警察官訊問調書」）

「（第一次世界大戦後の）国際情勢の推移は吾々をして既に十数年前から更に深刻

な形での第二次世界大戦の勃発を予測せしめ（略）第一次大戦がソ連邦を誕生せしめたと同じ様な結果を少くとも戦敗国家の間に齎(もたら)すであろう。（略）戦敗の場合だけでなく戦争当事国双方が共に疲弊すると云ふことも十分考へ得られることでありますし、其の場合には戦敗国の内部に起つた重大な変革の影響は必ずや亦相手国にも大きな影響を与へるであらうと云ふことが考へられ、之を要するにコミンテルンの多年目指して来た世界革命の実現の可能性は（略）急速に増大するものとの見透を、私は既に少くとも支那事変勃発の当時から確信を以て懐いて来て居りました」

（第三回予審判事訊問調書）

共産主義者にとって、革命の「予測」は単なる机上の観念でとどめおくべきものではありません。**共産主義社会の到来は「科学的真理」であったとしても、黙っていて実現するものではなく、主体的・能動的な革命運動や秘密工作によって到達すべきものとされていました。革命を「予測」するということは、革命の実現を信じ、そのために全力を挙げて運動や工作に従事する、ということなのです。**それは古今東西の共産党員がさまざまな運動・工作を行ってきたことが示す通りです。

そして共産主義者たる尾崎も、世界革命を机上で「予測」するだけでなく、実現させるべく必死に動きました。昭和十六年十二月八日の大東亜戦争の勃発を「全力を傾けて働いて来た目標たる世界戦争の決定的な段階（が到来した）」（「尾崎秀実の手記（二）」）のだと自ら認めている通りです。

では、対米英開戦の実現に向けて尾崎は、具体的に何をしたのでしょうか。司法警察官による取調べで「独・ソ戦に日本が参加せざる様被疑者（尾崎）が近衛側近グループに働きかけ」をしたか問われたのに対し、尾崎は「御訊ねの様な事実があります」と答えたうえで大略、以下のように供述しています（第十九回司法警察官訊問調書）

○ゾルゲに「自分は支那問題に就ては評論家として相当な説得力があるし、又自分の周囲には政治的に有力なグループもあるんだから夫等（つまり近衛側近グループら——筆者注）のものに、ソ聯防衛の立場から働きかけて見ようか」と相談したところ、ゾルゲは「任務が違ふ」と答えた。

○それにもかかわらず、尾崎は近衛側近グループに対し、対ソ開戦すべきでない理由として次のイ～ニのように説いたという。

「（イ）軍事的にはソ聯が（ドイツに）敗れる可能性があるにしても、ソ聯は内部的にはさう簡単には崩壊するものではない」

「(ロ)日本がシベリア丈を取つて見たところで欧露に強い勢力があれば結局シベリアは夫れに支配されることになる」

「(ハ)資源関係から見ても日本が現に欲して居る石油もゴムもシベリアには無い」

「(ニ)独逸がソ聯に勝つてソ聯が崩壊するならば黙つて居つてもシベリアは取れるではないか」

尾崎はこのように近衛側近グループらに説き、日本の「北進」を押しとどめるべく努力し、ゾルゲに対し、これらの主張は「近衛にも響いて居るだらう」と話した。尾崎は、(ハ)の資源関係については、さらに「日本にとつては南方進出こそ意味がある」と近衛周辺に説いていたことも供述しており、こうして日本を「北進」ではなく「南進」へ、すなわち政権中枢を対米英開戦へと導こうとする尾崎による工作の一端を明らかにしているのです。

そして「南進」については、さらにこうも供述しています。

「(世界大戦を)英米の全勝に終らしめないためにも、日本は社会的体制の転換(共産主義化のこと――筆者注)を以てソ聯支那と結び別の角度から英米へ対抗するの姿勢を採るべきであると考へました。(略)(その方策として――筆者注)日本は戦争の始めから米英に抑圧せられつつある南方諸民族の解放をスローガンとして進むことは大いに意味があると考へたのでありまして、私は従来とても南方民族の自己解放を『東西新秩序』創建の絶対要件であると云ふことを頻りに主張して居りました」（第二十七回検事尋問調書）

このように、尾崎は、ソ連を防衛しつつ、日本を「南進」させて米英と戦わせようとした自らの工作とその意図を明確に述べているのです。あの戦争の検証に、この尾崎の工作をこれまでのように無視し続けることはもはや許されないのではないでしょうか。

日中戦争から日米開戦に至った昭和の戦争には、もちろんいろいろな要因がありました。日本の側の愚かな、あるいは無謀な選択もあったし、米英の側の責任を問うべき行動もありました。しかし、米英中の政権中枢のリーダーたちの動き、そして日本も含め各国の共産主義勢力による日中戦争の拡大工作と泥沼化工作、さらには日米開戦を促す工作が間違いなく存在していたにもかかわらず、そのことは戦後日本の歴史家たちによってこれまでほとんど議論されてきませんでした。この背景には一体、どんな要因があったのでしょうか。我々日本人は、もう一度虚心坦懐にその本格的な探究を始めるべきでしょう。

米国務省顧問を反日にした工作の恐ろしさ

最後に、戦前の日米離間の素地をつくったソ連の対米工作で、大きな効果を上げた――日米にとっては多大な被害をもたらした――具体例をもう一つ紹介しておきましょう。その工作は、ボリス・スクヴィルスキーというソ連のチェーカー（秘密警察、のちのGPU、KGB）の工作員によって進められました。スクヴィルスキーは、日本のシベリア出兵に対処するため、ソ連とは「別個の国」という触れ込みでシベリア地域にソ連がつくった偽装国家「極東共和国」（一九二〇～一九二二年）の外務副大臣を務めた後、アメリカに駐在。一九二二年に極東共和国が消滅した後は、さまざまな民間人の肩書きも用いて、アメリカがソ連を承認するよう仕向ける対米工作に従事していました。

そのソ連承認工作は、一九三三年にルーズベルトが大統領となった時に実を結びましたが、その過程でスクヴィルスキーは米国務省の東アジア担当者たちとの間に深い人脈をつくり、彼らに何年もかけて「日本は米ソ共通の敵だ」と吹き込んでいったのです。

彼のそうした対米人脈の中でとくに注目されるのが、日米開戦時にコーデル・ハル米国務長官の東アジア担当の特別顧問で、戦前の米国務省で長年にわたって折紙つきの対日強硬派だったスタンリー・ホーンベックです。

一九四一年八月から九月にかけ、近衛文麿首相は開戦回避のための起死回生策としてルーズベルト大統領との日米首脳会談を企図し、その開催をくり返し米側に要請しました。このとき、あくまで力による日本屈服を主張して、首脳会談を拒否するようハル長官にくり返し進言したのが、このホーンベックでした。周知のように、結果的に首脳会談は実現せず、開戦への流れは決定的になりました。

ホーンベックはその後も、日米衝突を懸念する国務省内の声を退けて対日強硬策を主張し続け、同年十一月にアメリカが対日通告した「ハル・ノート」によって日本は開戦を決意させられました。

時期はさかのぼりますが、一九三五年、アメリカの駐中国公使だったジョン・A・マクマリーが、「アジアで信頼できる国家は日本である。アメリカは中国と組んで日本を圧迫するべきではない」という内容の報告書を国務省に提出しました（ジョン・アントワープ・マクマリー『平和はいかに失われたか』原書房、一九九七年を参照）。この「マクマリー・メモランダム」と呼ばれる報告書は、グルー駐日大使らに高く評価されましたが、これを握りつぶしたのも、当時国務省極東部長だったホーンベックでした。

ホーンベックが「なぜかくも反日的だったのか」。これは、戦前の日米関係において、このホーンベックという人物が長年にわたり担っていた重要な役割を考えると、きわめて重要な問いかけです。そして、その大きな理由につながるヒントが、このスクヴィルスキーというソ連の秘密工作員が、ホーンベックと一九二〇年代初めからつねに深い関係があったという事実です。実はロシア革命の直後からソ連の特殊スパイ工作員だったスクヴィルスキーは、ソ連が参加を許されなかった前述のワシントン会議（一九二二年）に、「極東共和国」の代表として出席し、この会議の席上、ホーンベックと親密に会談していたこともわかっています。その後も二人の交流は続き、一九三〇年代に入ると、ホーンベックに対し「アメリカは今すぐにでも日本と開戦すべきだ」とくり返し説き続けていたのです。

ホーンベック自身がソ連に〝リクルートされた〟、つまり意識的なソ連のエージェントだったという情報はありません。おそらく、その可能性はほぼゼロだと思います。しかしホーンベックは、スクヴィルスキーに洗脳され、無自覚（工作用語で言うアン・ウィッティング）な「影響力のある代理人（エージェント・オブ・インフルエンス)」に仕立てられていったのだと考えられるのです(「影響力のある代理人」という概念については、佐々木太郎著『革命のインテリジェンス――ソ連の対外政治工作としての「影響力」工作』勁草書房・二〇一六年、の序章および第Ⅰ部を参照)。

近年、「ヴェノナ文書」や「ヴァシリエフ文書」などのソ連・コミンテルンの諜報工作に関する重要な機密文書が次々と公開され、アメリカ政府内に大量のソ連のスパイが入り込んでいたことがわかっています。しかしホーンベックはそうしたスパイではなかったと思われます。

けれども、この事例は、尾崎のような明確なソ連ないしコミンテルンの工作員、あるいはハリー・D・ホワイトのような自覚的なソ連エージェントに「ハル・ノート」の原案を書くよう仕向け、一方、ホーンベックのような強硬な反日派の人物を操って、日本の尾崎秀実の工作と併行する形で進めてゆき、日米双方の側から幾重にも工作網を駆使して日米開戦へと導いていったソ連・共産主義陣営の工作の奥深さと強固な執念の実態を示して余りあるケースといえるでしょう。

しかも、その全容はいまだ完全には解明されていないのです。日本の歴史学界の大いなる奮起を促したいと思います。

7　覇権争いとしての米ソ冷戦
――ソ連崩壊と「パックス・アメリカーナ」

歴史を解凍させた冷戦の終焉

「冷戦とは何だったのか」さらには「ソ連崩壊が日本に意味したことは、実は何だったのか」ということを、今の時点から、もう一度国際政治史上の出来事として、再検証する必要があります。というのも、今日の混迷を深める二十一世紀の世界が、なぜそうなってしまったのか、その答えの大半が、この問いの中に潜んでいるからです。

一九九一年十二月八日に「ソ連崩壊」の発表がありました。後で申し上げますが、だれがソ連を崩壊させたのか、あれから三十年経った今、それは、非常に重大な問題となってきました。この四半世紀、これまでの国際秩序の土台になっていたのは、「ソ連崩壊」という歴史的な出来事なのですが、実はこれが全然〝歴史〟問題になっていないのです。

ちょうどソ連崩壊のその日、すなわち「真珠湾攻撃五十周年」の記念日に私はハワイの真珠湾での行事を見た後、日本に帰ってきたら、「ソ連が崩壊した」というニュースを聞いて、何か運命的なものを感じました。

ソ連崩壊と、日本の近代史の一つとしての「真珠湾」をつなぐものは、実は、「パックス・アメリカーナ」ではないだろうか。真珠湾の米海軍第七艦隊、あるいはその向こうの丘の上にそびえていたアメリカ太平洋軍司令部、あれを見て、米ソ冷戦というのは大東亜戦争――「昭和の大戦」「第二次世界大戦」「太平洋戦争」どう言ってもいいのですが――と切っても切り離せないものなのだ、と思いました。

冷戦とは何だったのか、それを今、どういう理解をしたらいいのかと、私はその頃からこのことを真剣に考え始めるようになりました。冷戦は、本当の歴史を冷凍し人々の眼からそらせる役割を果たしたのではないか。つまり冷戦が終わるということは、大東亜戦争を含め本当の歴史が甦る、つまり「回帰する歴史」ということではないのか――そういう問題意識を持って国際情勢を見るようになりました。その見方は、あれから三十年経った今、一段と強まっています。

一応、伝統的な解釈として、冷戦とは第二次世界大戦が終わった後に踵を接して起こった、二大戦勝国アメリカとソ連による、歴史的な長期にわたる国際対立だったというものがあります。冷戦が始まったのが、だいたい一九四〇年代の後半ではないかというのが定説です。しかし、その解釈からしておかしいのです。

アメリカではなく、日本という立脚点に視点を置いて冷戦を考えると、実ははるかに早く、一九一七年のロシア革命、あるいは一九二〇年代のどこかに冷戦の起源があったと考えるべきです。イデオロギー的には大正十四（一九二五）年の治安維持法成立の頃、あるいは昭和三（一九二八）年のいわゆる三・一五事件などです。思想的には、この辺から日本は国際政治の上でも共産主義に対抗する、という点での冷戦に突入しています。実は、この頃から日本は、共産主義との思想上あるいは地政学的な戦いに、すでに取り組んでいたということです。これには、アメリカとは根本的に違う事情があります。

実はアメリカ社会も一九二〇年代に「赤の脅威」を喧伝したことはありましたが、ある時点から、ソ連をどう扱うかについて、欧亜の覇権をめぐり対立を深めていた日本やドイツに対する手駒としてソ連を使うために、むしろ対ソ接近外交へと一九三〇年代に方針が変わります。アメリカがソ連を承認した一九三三年以後のフランクリン・ルーズベルト政権による、表面的には「反ファシズム」を掲げた容共政策への転換です。

トルーマン宣言

他方で、国際政治史や外交史を扱う研究者たちは、一九四七年の三月に、アメリカ大統領トルーマンが世界に向けて宣言したいわゆる「トルーマン宣言（トルーマン・ドクトリン）」が冷戦の始まりを告げるものだったと言ってきました。そして冷戦が終わったのがソ連崩壊、すなわち一九九一年というのが通説です。これは伝統的な、世界で通用している時代区分だろうと思います。一九八九年の十一月九日、ドイツの東西ベルリンの壁が崩壊したその時をもって、冷戦の終焉とする歴史書もあります。

いずれにしても、冷戦は一九四六〜四七年頃に始まり、おそくとも九一年に終わったという解釈が国際政治的には通説です。

第二次世界大戦末期のヨーロッパで、ソ連軍がナチス・ドイツ軍を追って西に侵攻した時、軍事占領下に置いていった東ヨーロッパ諸国――ポーランド、チェコスロヴァキアあるいはルーマニア、ブルガリア、ハンガリー――そういう諸国をスターリンのソ連は次々と社会主義化（共産化）していった。そしてこのことが、アメリカおよびイギリスなど西側諸国に危機感を与えた、とされてきました。ソ連はさらにイランなど中東方面にも圧力を向けてきました。いわゆる「ソ連南下政策」の脅威というものです。それはギリシャとトルコにまで、ソ連の侵略が広がってくるのではないかということで、これが、アメリカがトルーマン宣言で対ソ強硬策に転じるきっかけをもたらした、というのがこれまで大方の解釈でした。

たしかにトルーマン宣言の前半では、トルーマン米大統領は、ギリシャとトルコをアメリカの国費によって支援することを許してください、とアメリカ議会に要請しています。この両国は財政が非常に逼迫しているとか、大戦で疲弊しているから、という話になっています。そして、バルカン半島の北から共産ゲリラが侵入してきて、なかなかギリシャなどの警察や弱体化した軍隊では対処できないからアメリカが財政支援しなければならない、ということを言っています。これは普通のODA（政府開発援助）のような概念による援助要請です。

ところが、中段からガラリと論調が変わります。アメリカが普遍的価値に基づいて今こそ人類社会で役割を果たさねばならない、と言い出すのです。そこから、いついかなる時でも、そして地球上どこでもアメリカは「自由の敵」である勢力と戦う、すなわち共産主義と戦うために、グローバルに介入するぞ、と言い出しているのです。

ですからトルーマン宣言自体、まるで二人の人間が書いたかのような印象があります。ギリシャとトルコに対する支援というだけなら、そんなことを言う必要はないのに、途中から突如としてそれまでの文脈から外れた大げさな議論になるのです。この後半部のようにイデオロギー的にソ連の脅威を言い立てようとするなら、初めからギリシャ支援などといった具体論ではなく、別の打ち出し方があったと思いますが、大変不自然なつながり方になっています。

なぜこんな格好になったかはいまだに謎ですが、アメリカ外交が大きく転換するときは、時々こうした奇妙な現象が見られます。最近イギリスで公開された外交文書を見ると、おそらくその筋書きは大体イギリスが書いて、実質は当初から、英米関係の中でトルーマン宣言が出来上がったということがだいぶわかってきました。つまり、イギリスがアメリカの背中を押す形で、「対ソ封じ込め」へと動かしたとも考えられるわけです。

東西対立によるブロック化

いずれにせよ、トルーマン宣言が一九四七年の三月に発表されて、その後、六月に有名なマーシャル・プランが発表されました。マーシャル・プランは、東ヨーロッパを含めて、欧州の戦後復興のためにアメリカが莫大な援助をするという話です。実際には、主に西ヨーロッパが対象となりましたが、当初、アメリカはソ連の支配下にある東ヨーロッパ諸国にも援助をしますよ、とアピールをしたわけです。これは国際的な対ソ・プロパガンダだったと思います。おそらくは、ソ連が拒否しなければ、経済援助を通じて東ヨーロッパのソ連圏諸国に「和平演変」（平和的手段によって社会主義体制を崩壊させること）を仕掛けて、それらの国々をもう一度、自由主義体制へ再転換させ、ソ連を揺さぶろう、という思惑がアメリカの方にあったのでしょう。

しかし当然のことながら、ソ連と、その占領下にある東欧諸国は一致してこれを断るわけです。そして逆にコミンフォルムを結成して東側の団結、イデオロギー的統一という方向にソ連はもっていったのです。

こうして東西の対立がブロック化していき、この後に有名な「ベルリン封鎖」が始まります。それは一九四八年のことで、ソ連と東独によって陸路からのアクセスを封鎖された西ベルリンが一時「陸の孤島」になりました。それをソ連軍が包囲して威嚇し、アメリカ・イギリス・フランス軍の占領下にある西ベルリンを一挙に奪い取ろうと圧力をかけて、西ベルリンの市民二百五十万の動揺を狙いました。

そこで有名なベルリン大空輸作戦（それはほとんど一分おきに米軍の輸送機がベルリンの飛行場に到着し、荷物を降ろしてまたすぐに飛び立っていく。そして文字通り踵を接して、次の輸送機が滑走路に降りてくるという緊迫した歴史ドラマの光景で有名です）が演じられました。まさに劇的な軍事作戦ですが、これを米ソが銃火を交えることなくやったのです。それは一年近く続きました。米ソが危機一髪をくり返すものすごい迫力の、冷戦という大国政治の闘い、軍事衝突の一歩手前の戦いです。しかし、それは究極の「冷戦」と言えるでしょう。たしかに米ソ軍の間で鉄砲を撃つことはありませんでしたが、こんなことがヨーロッパでは起こっていたのです。つまり昭和二十三（一九四八）年の六月には、米ソの冷戦はもうたけなわになっていたのです。朝鮮戦争からは二年も前です。

そんなニュースが日本にも伝わってきましたから、日本人も、いよいよ第三次世界大戦か、という雰囲気になったと想像されますが、実は違っていました。

当時の日本はＧＨＱ（連合国総司令部）の占領下にあり東京裁判も続行中でしたから、日本のマスコミは、「ベルリン封鎖」の報道を占領政策との兼ね合いで、どこか非常に軍事色を払拭して報道していた感じがします。ベルリンの空港に米軍機が次々と着陸するのに、たとえばそれを軍がやっているという報道はあまり表に出さないようにしていました。これは有名なＧＨＱの検閲と「ウォー・ギルト・インフォメーション・プログラム（ＷＧＩＰ）」に関わる対日世論操作の影響だったのかもしれませんし、何かＧＨＱの特別な検閲の強化がさらにあったのかもしれません。占領下の日本人に、旧連合国同士の米ソが互いに対立を深めていることをＧＨＱとしては知られたくなかったので、検閲では冷戦の進行を日本のメディアが報道するのを抑えていたのです（この辺の詳細は江藤淳『閉された言語空間』文春文庫参照）。おそらくＧＨＱは、日本が対立する米ソの間に「クサビ」を打ち込んで占領政策への抵抗を画策することを恐れていたからでしょう。

いずれにせよ、ベルリン封鎖は冷戦構造の固定化に決定的な出来事となりました。これが国際政治的に見た視点で、一九四〇年代後半を冷戦の起点と見る伝統的な解釈です。

冷戦とは何だったのか

そもそも冷戦というのは何だったのか、と考えると——これも伝統的解釈の一環ですが——一つは、もちろん何よりも思想イデオロギーの戦い、共産主義といわゆる西側民主主義・自由主義の対立というふうに理解されています。日本の戦後史では日本国内の左右両翼の対立を意味する「国内冷戦」の文脈で、もっぱらこの観点からが重要になってくるかと思います。

二つ目は、冷戦のより生々しい本質は軍拡競争だったという見方です。軍拡競争それ自体が、冷戦を進行させる主たるモーメント（動因）になっていったというのです。少なくとも、正面切って軍拡競争をするから、米ソの国際対立がより非妥協的になり、一層、危機的な場面を次々と演出していったということは言えるでしょう。

とくに核兵器の発達とともに、軍拡競争が一九四〇年代の末から一九八〇年代末の冷戦の最終的な時期までずっと続きます。それは一貫してアメリカが先により強力な核兵器を開発し、ソ連がそれを追いかけるという形ですけれども、現在の北朝鮮の核開発やミサイル問題を見ていると、一九五〇年代の米ソ対立と共通点がたくさんあります。ソ連の水爆は本当に破裂したのかとか、ミサイルの重量を半分にする技術は未完成だろう、といった憶測がつねにありました。近年、北朝鮮をめぐってくり返されたような話です。しかし、世界史の教訓から言うと、ソ連はつねに米側の推測よりもずっと早くその技術を開発していました。いずれにしても、今見るとやはり、この核軍拡競争がたけなわとなる五〇年代半ばから、米ソは本格的に冷戦の最中にあったという感じは否めません。

しかし、いずれにしても核兵器の存在が結局、冷戦を終わらせました。少なくとも冷戦を〝冷戦〟のまま終わらせました。〝熱戦〟にならなかったのは、私に言わせれば、それは主として核兵器の存在のおかげであったと思います。アメリカの価値観が東側を圧倒したからとか、あるいは市場経済のシステムが優位であったからとか、さまざまな副次的要因があると思いますが、やはり核兵器の存在も大きかったことは否めないと思います。

ということは、現在も北朝鮮が本格的に核武装すれば（たとえば、北米大陸まで届くＩＣＢＭの実験に成功する、など）、おそらくアメリカの対北朝鮮外交は大きく変わりアジアの状況も根底から変わるだろうと思います。国際政治の相互抑止という理論からいえば、実はそういうことが予測できるわけです。

冷戦の三つ目の本質として、冷戦が、米ソという第二次世界大戦の二大戦勝国の間の「覇権の争奪」という面があったことは、さらに重要かもしれません。ここで冷戦というものを二十世紀の文脈から考え直すという問題意識につながるからです。

日本の立場から見た冷戦

私の見るところ、冷戦には、前段と後段があります。一九五〇年、日本の周辺では朝鮮戦争がありました。この朝鮮戦争が「冷戦の始まり」だという説がありますが、国際政治的に見ればこれはちょっとおかしい話で、おそらくその説は、戦後の日本で、保守、革新それぞれの陣営による「世論戦略」的な偏向があったと思います。

私の見方では、アジアでも冷戦はもっと早く始まっています。ただそれは水面下においてでした。中国で国共内戦中の昭和二十三年には、もう日本周辺で東西冷戦は間違いなく起こり、アメリカの対日占領政策も同年にはいわゆる「逆コース」が始まって激変するということは、吉田茂でなくても内外の情勢が見えている人にはわかっていました。当時、日本人はそのことを口に出しては言えないから、だれも言わなかっただけです。だから報道もされないし、論評もありませんでした。これがはっきりしてくるのは、昭和二十四（一九四九）年の後半からです。

前述したように、日本の立場から冷戦を見ると、実は一九一七年のロシア革命から数えておよそ三十年間の前段階があります。これを仮に「プレ（初期）冷戦」と言ってもいいと思います。

それからもう一つの問題は、先ほど言ったように、一九八九年（ベルリンの壁崩壊）か一九九一年（ソ連崩壊）で冷戦が終わったと言うなら、それ以後のこの三十年ほどは一体何だったのかということです。これを「ポスト冷戦」と言う人もいますが、そうするとその約三十年に先立って、「プレ冷戦」が三十年ほど（つまり一九一七年から四五年まで）あり、真ん中に本番の冷戦が四十年ほどあったことになります。

しかもヨーロッパ以外の地域、たとえばアジアから見れば、今もまだ冷戦は続いているのです。したがって、ロシア革命（一九一七年）以降この百年ほどはほとんど世界史的には「冷戦が始まって、そして終わっていった時代」であったというように、後世評されることも考えられるのです。そう考えると一九八九年もヨーロッパ以外ではあまり意味がありません。一九九一年も同様です。むしろ、「冷戦のなごり」としてのアメリカの一極体制が続いた「ポスト冷戦」の時代は、一体いつ終わったのか（終わるのか）、という問いが今、一層重要になってきています。

パックス・アメリカーナ

そしてここで重要なことは「パックス・アメリカーナ」の始まりも、一九一七年頃だったといえることです。まず第一に一九一七年にアメリカが第一次世界大戦への参戦を決めました、これがアメリカの世界覇権への入口になりました。同時に、そのアメリカのＦＲＢ（連邦準備制度理事会）の前身として、すなわちその四年前にできたアメリカの中央銀行が大戦中の諸国に貸し出す債権――実際に貸し出すのはアメリカの民間の銀行です――が政府保証つまり実質的にはアメリカの「国債」として、イギリスその他の連合国に貸し出されました。この国際金融の構造変化によって、一九一七年という年にイギリスとアメリカの力関係が完全に逆転しました。

早い話が、アメリカが歴史上初めてイギリスに対して純債権国になりました。この国際金融の動きというのはアングロサクソンの世界覇権、つまり、それまでの「パックス・ブリタニカ」から「米英共同覇権時代」としての「パックス・アングロ＝アメリカーナ」へ移行し、英から米への覇権交代の移行期間に突入します。近代のイギリスとアメリカの関係は一面では国際金融というファクター（要因）によって大きく影響されましたが、その力関係において、ここでイギリスが下位になったのです。いわば「金縛り」に陥ったイギリスはアメリカの外交政策の尻尾（モンロー・ドクトリン風に言えば〝凧(たこ)の尻尾〟）になりました。ロシアが共産革命によって連合国から離脱したこともあり、大戦によって一挙に衰退を加速するイギリスからアメリカへの覇権交代が始まったのです。

歴史はすべてつながっています。ロシア革命が「パックス・アメリカーナ」の登場と確立を促進したということでもあります。

それから、もう一つの大きな問題ですが、先ほども言った通り冷戦は果たして完全に終わったのでしょうか。たとえば、今も中国共産党は大きな力を持ちながら存在しています。「市場経済」を標榜(ひょうぼう)する中国経済のシステムは別にして、政治体制は間違いなく共産党一党独裁体制です。それからベトナムですが、こちらも共産党一党独裁です。北朝鮮は「封建的共産主義」ともいうべき共産主義です。つまり、アジアには、まだ多くの共産主義体制の国があるわけで、その意味では決して冷戦は終わっていないのです。そして、すでに述べたように、パックス・アメリカーナもまだ完全に終わったわけではありません。

さて、ここから本題に入りますが、ここで重要なことは、**元来、共産主義とパックス・アメリカーナは、双子のようなものだということです。両者が浮上する歴史のプロセスと共に、この二つの「運動」の思想的な後付けをしっかりとしていけば、共産主義とパックス・アメリカーナはまさに「車の両輪」なのだという世界史的理解が今日、重要になっていると思います。**とりわけ、それは昨今の米中対立の行方を考えるとき、重要な観点となってきます。

いずれにしても、このように見ていくと、現代日本において「冷戦とは何か」という考え方が、私から見ると思考が浅いというか、歴史的な視点が非常に粗雑なまま、もっぱらジャーナリズム的な視点でもって冷戦観が生まれ、そのまま続いているような気がします。このことも、現在の日本で、まだ冷戦が終わっていないことの傍証のように思います。

くり返しますが、大切なことは、冷戦がアジアでは今も続いているとすれば、パックス・アメリカーナも続いているということです。言いかえると、アジアでの冷戦が終わると、必然的にパックス・アメリカーナは終わるということです。

とりわけ、中国の共産体制とアメリカの覇権の関係を、国共内戦期から、じっくり見ていくと、実はアジアにおけるアメリカの覇権と、中国共産党の存続下に進む「中国の超大国化」ということは表裏一体をなしています。おそらくどちらかが滅びると、どちらかが踵を接して、その後に続くと思います。米中の対立が、今ことさら言われていますが、歴史的にたどってみると、中国共産党による独裁と覇権主義は、遡るとソ連・コミンテルンだけでなくアメリカのアジア政策が生み出した一種の「鬼子」でもあったのです。ニクソン訪中（一九七二年）も中国の経済大国化への道を開きました。そもそも五四運動（一九一九年）の影響などを見ても、単にマルクス・レーニン主義あるいはコミンテルンの活動によって中国共産党が誕生した、とだけ見るのは歴史的には視野が浅いということになると思います。歴史の大きな視野から冷戦観を深掘りすると、超大国・中国の共産党体制とパックス・アメリカーナとの「双子の関係」が見えてくるのです。

冷戦は四楽章の交響曲

冷戦は、わかりやすく言えば、クラシック音楽の交響曲のように第四楽章まであるのだろうと思います。先ほど言ったように、第一楽章としての「プレ冷戦」が三十年ほどあった。第二楽章は本番の冷戦ですね。この第二楽章の終わりがソ連崩壊だったのだと私は思います。そして今、第三楽章に入っている。いわゆる「ポスト冷戦」期です。でもアジアでは米中対立の「新冷戦」という動きを見ても冷戦は形を変えて続いているといえます。ここですでにどうやって、最後の「締め」をもってくるんだろうと、世界がみな戸惑っているのです。プーチンが出てきて、ロシアがゴルバチョフの頃とは全然違うようになってきたし、世界秩序全体が大幅に混沌としてきました。ロシアはクリミアを併合してウクライナに攻め込んでいます。二〇一四年の二月～三月頃からウクライナ危機が言われ始めましたが、ロシアは一気にクリミアを占領併合し、現在も続いています。

第二次世界大戦以後、主権国家の領土が外国によって軍事占領され、そして領土として併合されたという歴史はこのクリミア併合まで一度もありませんでした。二十世紀前半の満洲事変でも、日本は満洲全土を一気に占領したと言われていますが、あの時も満洲領有計画は日本の一部にあったものの、結局は満洲国という、たとえ「傀儡（かいらい）」と言われても一応は独立した国をつくって日本はそのうえでこれを支配しようとしました。

ところがプーチンのロシアは、クリミアを一挙に占領してロシア領に編入してしまったのですから、はるかに乱暴で、はるかに侵略的と言わざるをえません。これに国際社会はまったく対応の手だてがありませんでした。アメリカをはじめとする覇権国とその同盟国もまったく対処できませんでした。しかしこれがこのまま今後も野放しになったら、たしかに第二次世界大戦後の国際秩序が根底から崩壊することになります。

それから中国は、南シナ海の埋め立てをやっていますが、これは確立された海洋・国際法の秩序にまったく違反しています。中国は南シナ海の海域全体が中国の領海だ、領域だと言っています。これは言ってみれば、西洋近代の国際法体系を全面否認しているわけです。これをどう考えたらいいのか、答えがないのです。つまり今までのパターンでは答えがない、しかし答えがないことが答えなのです。つまりはいよいよ世界秩序は第三楽章の終わりに近づいてきたのではないか、というのが私の見方です。

そして第四楽章を展望すると、それはおそらく共産主義の残滓、あるいはプーチン体制のような「疑似共産主義」の体制、こういうものが最終的に清算を迫られると同時に、アメリカが世界的役割を果たす意志と能力がなくなってきたことがもっとはっきりするのだろうと思います。ドナルド・トランプは〝アメリカ・ファースト〟を唱えていますが、アメリカが国際的役割を大幅に縮小せざるをえなくなるときが、本当の意味で冷戦が終わったときだと思います。その意味で、現在のバイデン政権の動向は歴史的な重要性をもつことになると思います。つまり前述のようにパックス・アメリカーナとアジアを含めた共産主義との冷戦は一体ですから、車輪の一方が消えてなくなれば、もう一方が存立する余地はありません。その第四楽章がいつ終わるか正確にはわかりませんが、世界史は二十世紀の前半からこの百年間、そういうドラマとして動いてきています。こういう大きな視点があれば、二十一世紀の日本の国のあり方や、逆に大正期以後の、この百年の日本がたどってきた道も、もっと明瞭に見えてくるのではないかと思うのです。

「敗戦革命」という脅威

すでに前章で詳しく見たように共産主義は、二十世紀の世界史だけでなく、「近代日本の運命をも狂わせた」と言っても過言ではありません。とくに共産主義がもたらした重大な問題は、労働者の生活状況を改善するとか、マルクスの言う資本主義的な「労働疎外」を、より人間的な視点で克服していくというような理想が達成されなかったという問題以上に、国際政治的な次元で長期の冷戦を生んだことです。それは、「プレ冷戦」期を含めると、二十世紀の初頭から始まります。

マルクスが『共産党宣言』を書いた一八四八年からこの方、世界的に一つの思想潮流として、共産主義の脅威がずっとありました。

一九〇七年にドイツのシュトゥットガルトで第二インターナショナル（コミンテルンの前身）の大会があり、決議が行われました。コミンテルン（第三インターナショナル）ではなくて、その一つ前の第二インターナショナルの時代です。そしてこのシュトゥットガルト決議の中では、（第一次）世界大戦の切迫ということを見通して、三つの決議が挙げられていました。

一つ目は、社会主義者は議会で軍備縮小と常備軍の撤廃を求めて努力すべきだということ。これは今、日本の某政党も忠実に守ってやっています。そして軍事予算には必ず反対するということです。

二番目は、「労働者階級は戦争勃発を阻止するよう全力を注ぐべきである」という決議です。労働運動と反戦運動は一体だということを決議は謳っています。

しかし、それらよりも二十世紀の世界史にとってより重要と思われるのは三番目の決議です。**列強間戦争が勃発したならば、労働者階級は戦争のすみやかな終結をめざして祖国の戦争努力に干渉するとともに、戦争によって引き起こされた国内・国際の危機を利用して、資本主義の廃絶をめざして、全力をもって社会（つまり共産）主義革命の達成をめざすべきであると。**

大戦争というのは共産主義革命の温床だというのが、ここから見えてきます。労働者と革命分子は「資本主義の廃絶をめざして、全力を挙げて戦うべきだ」というシュトゥットガルト決議によって、二十世紀という「世界大戦の世紀」が同時に「革命の世紀」になったのです。そして大東亜戦争があのような形で、日本の国益から見てありえないような愚かな選択になったのです。すでに見た通り、泥沼化した支那事変から、だれもが避けるべきと考えた日米戦争、という「真珠湾への道」

は、間違いなく共産主義の「敗戦革命」戦略に一つの要因があったということです。

そして、この戦略の淵源（えんげん）を見ていくと、第一次世界大戦が始まったときに大変重要な共産主義の戦略、すなわち祖国の戦争を混乱や敗戦に導き、資本主義体制の廃絶を図るという路線が出てきます。具体的には第二インターナショナルの中の左翼に位置する一派、つまりレーニンやトロツキー、ローザ・ルクセンブルク、カール・リープクネヒトなど、大戦後にドイツ革命やロシア革命を指導した人たちが、一九一五年九月十一日に、スイスで「ツィンマーヴァルト決議」というのを行っています。これも冷戦（あるいは、先に見た尾崎秀実らの活動）を考えるとき非常に重要な決議です。これによってレーニンたちは、祖国の戦争に協力する姿勢を示した第二インターナショナルの主流派を切り捨てて、後の第三インターナショナル、すなわちコミンテルンにつながる「革命的左派グループ」を結成したのです。このツィンマーヴァルトで出てきた路線が、新たに定式化された「革命的祖国敗北主義」です。すなわち、**戦争が起これば、必ず祖国を敗北に導くように共産主義者は行動しなければならない、という命題です。**

第三インターナショナルすなわちコミンテルン誕生の根源は、このツィンマーヴアルトの革命的祖国敗北主義というテーゼにあるのです。ですから、祖国を大きな戦争に導くことがその革命を一日も早く達成するための、共産主義者にとって「神聖な義務」であることをはっきり謳っているのです。

ここから日本の昭和史は始まるのだろうと私は思うのですが、前章でも言った通り、この革命的祖国敗北主義というテーゼが昭和日本の命運に影響を及ぼしたことを、戦後の歴史学者がほとんど言及しないのは非常に不思議なことです。そしてこの祖国の社会をカオス化させることで革命を招き寄せようとする動きは、一九三〇年代のコミンテルン、あるいは一九六〇～一九七〇年代のアメリカにおけるベトナム反戦運動などさまざまなところに顔を出しているのですけれども、そのことについての学術的な研究はほとんどなされたことがありません。

冷戦とパックス・アメリカーナ

さてここで、本題に戻ってパックス・アメリカーナの歴史を冷戦の歴史とより具体的・実証的に重ね合わせて考えてみたいと思います。それにはまず一九九一年のソ連崩壊についてもう一度、検討する必要があります。これは産経新聞の有名なロシア専門家である斎藤勉氏の『日露外交』（角川書店、二〇〇二年）という本の中で非常に立体的に描かれていますので、ここではそれを参考にして論じたいと思います。

一九九一年十二月八日にソ連が崩壊した、あのドラマは一体どうやって起こったのか、これは実は現在も議論されています。この数年、とくにロシア国内で強くなっている議論は、ソ連崩壊は「非合法のクーデター」であったという評価です。少なくとも、合法ではなかったという解釈が、今ロシアのインテリの間で広がっております。さらに言えば、プーチン体制を支えるイデオロギーの一つになっているのだろうと思います。

しかしこれは一歩間違うとロシアの国境をもう一度「外へ広げる」つまり旧ソ連諸国にとっては非常に怖い考えにもつながります。つまり、バルト三国の独立は違法だった、ウクライナ・ベラルーシ・カザフスタンのソ連からの分離独立も「合法ではなかった」という議論が、将来もっと強く打ち出されれば、たしかにこれは非常に大きな問題になります。

一九九一年の十二月八日に、今のベラルーシの首都ミンスク近郊の保養地ベロヴェーシでその「クーデター」が起きました。「ベロヴェーシの密約」とか「ベロヴエーシの陰謀」と呼ばれています。

当時は、ベラルーシもソ連邦を構成するいくつかの「国内共和国」の一つに過ぎませんでした。そこでロシアのエリツィン最高会議議長（当時ソ連を構成する一つの自治共和国ロシアの首長に過ぎなかった）と、やはり一つの自治共和国に過ぎなかったウクライナのクラフチュク大統領、彼らがベロヴェーシの森にやってきて、密会したのです（密会と言っても、エリツィンはソ連邦のゴルバチョフ大統領に、「クラフチュクに会います」ということを伝えていたといいます）。そこにベラルーシのシュシケビッチ大統領が合流して、三者がミンスクの近くの旧ソ連の共産党幹部が集まる別荘地で会議を行いました。その一部始終は、エリツィンの懐刀と言われたブルブリス第一副首相が詳しいメモを書き残していますから、それを見ればどういうことが起こったのか、今日では一目瞭然でわかります。

先ほどの斎藤氏のレポートによると、ブルブリスは明らかにソ連を崩壊させようという意図を持ってこの会議に臨んだといわれています。しかし、エリツィンがどの程度自覚的であったかはわかりません。ウクライナの国民投票がその一週間前にあり、九〇％のウクライナ住民がソ連邦からの即時の独立に賛成投票したのです。たしかしかしこれは分離独立を決定する権限はもたない、単なる住民投票です。

に当時ウクライナ人は圧倒的にソ連から離脱しようとしていたわけですが、この住民投票には正当性がありませんでした。ですから、そのままだったら、たとえば、同じ年の六月にクロアチアがユーゴスラビア連邦共和国から一方的に独立すると言った時に、ユーゴスラビア連邦共和国軍がクロアチアに侵攻し、ユーゴ内戦が起こったのと同じことが、ウクライナでも起きていたかもしれません。

いずれにせよ、今から思えば非常に皮肉な話です。ウクライナは独立したいと言って、九〇％もの人が「もうソ連は嫌だ」「西側に行きたいんだ」と言わんばかりに投票をした。するとロシアのエリツィンは、渡りに船だということで、その機会に一気にソ連を解体して、ソ連共産党も一気に消滅させてしまおうとしたのです。このウクライナの投票が、エリツィンらの抱くソ連国家の解体戦略にぴったり符合したのです。そのようにして、この三人の名で「ベロヴェーシ宣言」がいきなり出るのです。一九九一年十二月八日のことでした。

これは、いわばこの三人の国内共和国の「大統領」が勝手に、ソ連を崩壊させましょう、そうしましょう、として〝野合〟してそう宣言をしたというわけです。たしかに、普通の法律家の理論からすれば、合法性に非常に大きなクエスチョンマークがつきます。しかし、それが通用するのが国際政治です。これは歴史の既成事実です。しかしその時、エリツィンらは次のような宣言を世界に向けて発信しました。

「本日ソ連邦は、国際政治と国際法の主体としてまた地政学的現実として、その存在を完全に停止した」と。ソ連邦は国際政治と国際法の主体として存在しなくなった、地政学的にも、もはやソ連という存在は過去のものになった。こう言ったわけです。これが三十年後の今日、プーチンのロシアで大きな問題になり始めています。

近年、一九一七年のロシア十月革命は、少数派のボルシェビキによる単なるクーデターだった、という説が広く普及し始めていますが、それによるとソ連解体も同様だった、ということになりかねません。つまり、二十世紀の世界史にきわめて大きな位置を占めたロシア革命とソ連邦という存在は、一つのクーデターによって生まれ、そしてもう一つのクーデターによって終止符が打たれたということになります。

世界史の分水嶺としての一九九一年

それではこのソ連崩壊から現在までの三十年間をどう見ればいいのか。三十年前に何があったか。私はこのソ連崩壊が起こった一九九一年という年は、実は大変大きな出来事が三つあったと思っています。

決定的に大きかったと思うのは、一月に始まった湾岸戦争です。当時、湾岸戦争に対する反対が世界中でものすごく強く、ソ連国内や西ヨーロッパ各地で噴き出していました。とくに多国籍軍によるイラク侵攻の地上戦が始まる二月二十三日ぐらいから、ドイツの首都ボンでは（当時はすでに統一ドイツですけれども、首都はまだボンにありました）、三十万人ものドイツ人による「湾岸戦争反対」の激しい大デモンストレーションがありました。それから、五十万人のソ連軍人がモスクワの赤の広場に集まってやはり「湾岸戦争反対」、「アメリカに対抗せよ」という激しい反米のデモを起こしています。これは十二年後の二〇〇三年に起こったイラク戦争への反対運動どころの騒ぎでなく、はるかに大きな規模でした。

では、それほどの反対が起こった湾岸戦争がもたらしたものは何だったのでしょう。この三十年間の世界秩序を見ますと、たとえば、湾岸戦争以後、このアメリカによる覇権を求める戦争にお墨付きを与えた国連の役割に対する見方が大きく変わりました。「世界秩序の守護者」として本来の役割を取り戻した、というベルリンの壁崩壊時から湾岸戦争までの時期にあった国連への見方が幻想だったということが明らかになりました。それまでは冷戦が終わってソ連が崩壊したということは、「平和と協調の時代」が来るという見方があって、たしかにそのフィクションが三十年間、ポスト冷戦時代の第三楽章を貫く一つのテーマでした。しかし、この予定調和的な「平和の時代」の到来という実態は、実のところ、すでに湾岸戦争でもろくも崩れており、以後、「アメリカ一極の時代」に取って代わられていきました。「超大国」「唯一の覇権国アメリカ」というイメージ。その「覇権主義化するパックス・アメリカーナ」への反発と警戒が、ロシアのクリミア併合、南シナ海で中国が現在やっている行動や、あるいは「アラブの春」以来崩壊してゆく中東における秩序崩壊とイスラム・テロ運動、〝イスラム国〟のような世界のカオス化への動きを生んでいくのです。

また、現在、ＥＵ（ヨーロッパ連合）が、二〇一六年のイギリスのＥＵ離脱決定以後、分解の過程に入ってきました。これも人々の当初の予想、とくに湾岸戦争やソ連崩壊直後の「統合されてゆく世界」とは正反対の方向に向かっているのは、「パックス・アメリカーナ」がその力によって移民問題を含む世界のグローバル化を性急かつ乱暴に進めすぎた結果と考えられます。

それに加えて「国家は退場していきます」という、ポスト冷戦時代のもう一つのグローバリズムの幻想も崩れ出しました。

マルクス主義は「国家の死滅」と言いましたが、ポスト冷戦的な新自由主義の経済、フランシス・フクヤマ的な、「歴史の終わり」論など、アメリカの一極覇権を前提としたグローバリズムの理論でも「国家の退場」というのが言われました。しかし、国家は決して退場しなかったのです。

共産主義とグローバル覇権主義

二十世紀の歴史を振り返ると、一つは共産主義の大きな流れがあります。もう一方に、アメリカのグローバル覇権主義の流れがありました。この二つが二十世紀の世界史を動かす大きな機関車の両輪になっていました。このことを念頭に置かなければ、二十世紀を理解することはできないと思います。

二つの大戦、とくに第一次世界大戦が、共産主義とアメリカのグローバルな覇権主義を生み出しました。十九世紀の終わりまで世界の秩序を支配してきた「パックス・ブリタニカ」つまりイギリスによる世界平和の安定と繁栄の経済秩序が、十九世紀末に、だれの目にも明らかな崩壊（衰退）の様相を示したとき、ドイツやアメリカなどいくつかの挑戦国が現れました。つまり、それまでの覇権国の衰退がヴィジブル（可視的）になると、必ずそこで「我こそは」という挑戦国が現れるという近代世界史のパターンをくり返しました。いわゆる多極化の時代です。その中で最初に声を上げたのがアメリカでした。アメリカは一八九〇年代に何度かイギリスに挑戦して米英戦争の危機を作り出します。一八九五年のベネズエラ危機、一八九八年の米西戦争、これらはいずれも覇権を求めたアメリカによる、イギリスに対する挑戦でした。しかし同時に、ヨーロッパではドイツが急速に台頭し、やはりイギリスの覇権に手を伸ばそうとしていました。

アジアでは一九三〇年代にかけてそこに日本が加わりました。つまり、第一次世界大戦でイギリスの一極的覇権が終わり、イギリスからアメリカへの覇権交代の局面で起こってきたのが、日独などの第三勢力の挑戦であり、そこで漁夫の利を得たのが、共産主義（ソ連）の進出でした。

二十世紀後半に入ると、当初はソ連、今日では中国という存在がアメリカの覇権に挑戦を始めるのでした。この百年の歴史は、このようにまとめると、「『パックス・アメリカーナ』と共産主義の興隆と衰退」という一つのテーマとして打ち出すことができます。

つまり、「パックス・アメリカーナ」の確立、あるいは「パックス・ブリタニカ」すなわち英国の覇権という旧秩序から新しく「アメリカの覇権」に移っていく過程で、第一次および第二次世界大戦が始まっていくのですが、冷戦もそういう大きな文脈の中で、アメリカがソ連および共産主義の脅威を封じ込めると同時に、世界覇権を確立し維持することを、もう一つの目的として「ソ連の脅威」を国内世論と世界に訴え、それを一つのテコにして、世界各国との間に軍事的な同盟関係を結び関与政策、前方展開戦略、大海軍戦略で大きなプレゼンスを世界中に広げていくという国家戦略を築いていきました。つまり二十世紀後半のアメリカは、終始、「共産主義に対抗する」というスローガンの下、同時に、たとえば一九五六年のスエズ動乱で見られたように、イギリスを排除して自国の一極覇権をめざしたわけです。このことはさきに見たようにトルーマン宣言が、劇的に物語っていました。

冷戦を通して見る日本の歩み

このように見てくると、我々の冷戦観は、実はパックス・アメリカーナの中で培われ、アメリカの覇権戦略にも根をもった、動きとしての視野が少々欠けていたものだったように思います。

ただ、ここで注意しなければならないのは、年配の日本の知識人には「ソ連追悼史観」とでも呼ぶべき、古い反米的な世界秩序観のようなものが残っています。こうしたイデオロギー的な親米VS反米という、つまり右ないし保守は必ず「親米」、リベラルないし左派は必ず「反米」といった色分けは、もはや日本だけに特有のものであり、私のような歴史的視点からの国際政治のマクロ的な考察を専門とする人間には、よく理解できない不合理なもので、歴史家の視点で見るといわゆるイデオロギー史観の一種でしかありません。

たとえば、私は今でも、「お前は湾岸戦争の時には〝反米〟だったのに、イラク戦争の時には〝親米〟になって、そしてトランプ政権のときはアメリカ批判みたいなことを言っていた。ところがバイデン政権になると、親米的な発言をし始めているが、どちらか、はっきりしろ！」と、よく言われます。こうした、アメリカに対する姿勢が、イデオロギー・思想・価値観すべてに短絡的につながってしまうところが、戦後この方、日本の思想土壌の真の危うさであると思います。

私の立場を「日本」という座標の原点において見るならば、私ほど首尾一貫した姿勢を持している観察者はいないと思います。たとえばイラク戦争の後に自衛隊のイラク派遣を支持しましたが、それはイラク戦争の「大義」を支持したのではなく、日本の自衛隊の国際貢献の機会と経験を広げるために役立つ選択だったからです。また、バイデン政権の対中抑止戦略は、トランプ時代のそれよりも効果的でよりよく日本の国益に資するものだからです。世界を見る観点として、「日本」ではなく、左右のイデオロギーや霞ヶ関と直結してつねに「アメリカ」を原点に置いて発言する従来の日本のエリートやメディアの知識人は今こそ目を覚まして欲しいと思います。

いずれにせよ、国際政治を語る場合、ある国との関係、あるいはある思想・イデオロギーとの関係だけでそれを見ることはできません。国際政治は「力の体系」でもあり、「利益の体系」でもあります。そして三つ目に、「価値（観）の体系」でもあるのですが、そこには大切な「日本」という価値も含まれているのではないでしょうか。少なくとも、合理的かつ歴史的に総合的な視野からものを見るならば、もう一度、「冷戦とは何だったのか」ということを問い直す中で、この「アメリカによる平和」という、〝保育器〟の中で日本が眠りこけていた時代、つまり二十世紀から二十一世紀へと日本がたどってきた道筋をもう一度、激動した世界史と結びつけて統一的に説明できるような大きな図柄を描き直すことが重要だと思うのです。

8　世界秩序の転換点を迎えて

クリミアの「不条理」はどこに発するのか

近年、「混迷する世界の到来」の様相を示したのが、ウクライナの危機をめぐるロシアと欧米との「激突」と評してもよい対立状況でした。これを日本のある国際政治学者は次のように評していました。

「民族自決を尊重し、武力による領土変更は行わない、という原則が二十世紀には確立したと思われた。ウクライナ南部のクリミア半島を（自国領土に）編入したロシアのプーチン大統領の行動は、これに逆行するという点で重大な意味を持つ」（『読売新聞』二〇一四年四月十五日付）。

ウクライナをめぐる危機の本質は、国際秩序の根本的な原則をめぐる衝突であると同時に、欧米諸国とロシアという大国との間に、国家としての主権や威信の懸（かか）った根本的な対立が構造化しようとしているという点にあると言えます。それゆえ、危機が始まると二〇一四年二月末にイギリスのヘイグ外相（当時）はこの事態を指して「二十一世紀最大の危機」と評し、多くの欧米メディアも「冷戦終焉後、最大の国際危機」と呼びました。

実は私は、世界情勢のこうした変動を早くから予見していました。これは決して自負心から言っているのではなく、後で見るように「日本」を軸に冷戦後の世界を見てくれば素直に見えてくる近未来の世界だったのです。

現在すでに明白になっていることは、クリミアの危機に際し、国連はほとんど機能しなかったということです。たしかに、国連総会では、「クリミアのロシア編入は認められない」旨の決議がなされました。しかし、常任理事国のロシアが矢面に立たされるこの問題では当然ながら、国連安保理がほとんど機能しなくなっていることは、始めからだれの目にも明らかだった。

国際法上、「有効に成立している」と国際社会によって認知されていた主権国家（ウクライナ）の領土の一部（クリミア）が、別の大国の力によってあからさまに奪われ併合されてしまうという事態は、第二次世界大戦後の歴史において類例を見ないものと言っていいでしょう。しかも、このようにして新しく生じたクリミアをめぐる「現状」は、アメリカの弱体化と、核大国として増大する軍事力を誇示するプーチン体制のロシアの強硬さを考えればおそらく、もはや元に戻ることのない、「新しい現実」として受け入れる他ないものとなっています。

しかし、この不条理は、一体どこに源を発するのでしょうか。それは一つには核兵器という現代世界の最大の「秩序規定」要因とともに、もう一つの国連というシステム、とりわけ安保理常任理事国に与えられた拒否権という制度に発するもので、これは現在の国際秩序の根幹に関わる構造的不条理と言わなければなりません。そして「国連」という名の旧連合国が支配する〝国際社会〟ではいつまで経っても周辺国であり続けざるを得ない「日本」という立場から国連を見ていると、これは当然のこととして始めから見えていたことなのです。

今から三十年前、私は湾岸戦争を批判する論文（「国連の戦争」月刊『正論』平成三年三月号）を書いて、当時の保守論壇とりわけ親米派の大御所たちからこっぴどく叱られたことがありました。というのは、湾岸戦争に際して「冷戦が終わったのだから、今度は国連中心の国際秩序が現実のものとなる」という、当時一般に流布されていた考えは、私から見れば、むしろ間違っており、将来、常任理事国間の対立が次々と起こる国際紛争や危機が生じたとき――そしてそれこそが今後生じる最もあり得る紛争パターンなのだが――国連は一挙に無力になってしまうはずだ。それはまた冷戦後の世界で、アメリカの覇権を求めるための戦争でもあった湾岸戦争を〝国連の戦争〟という外被でまとうことにもなる、と論じたからでした。

事実、湾岸戦争はそうなりました。当時から私の見るところ、冷戦後の世界秩序において、アメリカの一極構造は長くは続かず、おそかれ早かれ多極構造に変わっていくことが明らかでした。また私は、今後も国際秩序の根幹はその基本単位である各国家の力と国益に依拠したものであり続けるであろう、と当時、さまざまな機会に論じつづけ、一九九〇年代、世間に広く流行していた「今後、グローバル化する世界で新しく国際秩序の主役になるのは、アメリカを中心とする西側が支える国連になる」という、対米追随派の議論を、私は正面から批判しました。

ところが、当時の日本の保守陣営の一部では、私のこの議論が「とりわけ怪しからん」として大きな問題とされたのです。今から見ると、そうした非難は全くの的外れで、まさに隔世の感を覚えずにはいられませんが、彼ら日本の親米保守論壇の人々の議論いわく、「湾岸戦争は国連決議に基づく警察行動なのだから、普通の戦争と同列視して批判するのはもってのほかだ」という批判が私に対して向けられ、その多くは「保守」ないし「現実主義」を標榜する有力なオピニオン・リーダーの先生方からのものだったので、私にとっては驚天動地以外の何ものでもありませんでした。それは、もちろん、保守でもなければ現実主義でもない、ワシントン直輸入の「腹話術」の議論に過ぎないものでした。日本の戦後保守とか国際派というのもこの程度のレベルだったのです。控えめに言ってそれは、戦後日本の「保守」ないし「現実主義」陣営の国際問題に対する思考の浅さと御都合主義を示すもののように思われました。

「拒否権」と「敵国条項」の危うさ

そもそも、国連とは、どこの国でもリベラル派や左翼の平和主義者が珍重するものであり、せいぜい実務に携わる政治家や官僚が時に便宜的に「国連のお墨付き」が有効なときにそれを利用するもの、という面がありました。ただ、誤解のないように言っておきますが、私は、人道主義の立場から、国連の活動は高く評価すべきで、決して人道支援や開発援助をはじめとする国連の活動を無視したりやみくもに批判するつもりはありません。私が言いたいのは、次のことなのです。

私自身、学生の頃から、安全保障機構としての国連とりわけ国連憲章の中にはっきり規定されている安保理の拒否権や、日本を名指しして「敵国」と規定している敵国条項の存在について知った瞬間から、これを戦勝国による「偽善の平和」と見なさざるを得ませんでした。

さらに、日本語で「国連」と称している語が、第二次世界大戦中の「連合国（ユナイテッド・ネーションズ）」に由来し、そして前述の通り国連憲章の中に厳に存している「敵国条項」のことについて知れば知るほど、「国連は日本の敵」とまでは言わないにしても、日本としては、このような国連は――もっと正しい、本来の平和機構となるまでは――仮に脱退しなくても、できれば「その改革をもっと強く迫るべきではないか」と私はこの半世紀間ずっと感じ続けてきました。

そもそも日本の周辺を見渡せば、紛争の潜在的相手国は、中国といいロシアといい、いずれももっぱら自国の国益の見地から「拒否権」を振り回す常習、いや常任理事国です。また、もし北朝鮮と我が国との間に衝突や紛争が起これば、北朝鮮側に立った中露の介入はつねに予想すべきだし、韓国との紛争ではやはりアメリカの動向が重要ファクターとなるでしょう。このように見れば、日本の安全保障あるいは国の存立にとって、この「拒否権」というものは、実は決定的な役割を果たす要因なのですが、日本の安保問題の専門家は、だれもこのことを突きつめて検討しようとしません。

それどころか、戦後の歴代内閣は「国連中心主義」と称し、これを日本外交の三大原則の一つ——他の二つは、日米同盟とアジアとの友好——として、いわば金科玉条のように扱ってきました。しかし周知のように、国連憲章の第五十三条と第百七条にある「敵国条項」は今も生きていると見る他ないのです。たしかに、九五年の国連総会でそれは「時代おくれ」と決議はされていますが、その後、二十年以上も経っているのに正式に削除されたり公式に失効したとはされていません。では、そこには正確に一体、何が書かれているのでしょうか。

第二次大戦中——つまりは、国連憲章の制定の時点である一九四五年五月以後——に「連合国」の敵であった国（ここで言う敵とは、憲章の定義では、ドイツやイタリアについてはあてはまるかどうか疑義があり、確実には日本しかあてはまらないと見られます）が、二十一世紀の現在においても「侵略政策の再現」と他の加盟国から見なされる行動をとった時、他の加盟国は、仮に安保理の決議がなくても、独自にこの「元敵国」、つまり日本に対し軍事制裁をする権限を有する、ということが書かれているのです。

たとえば、尖閣諸島に日本が何かの恒久的施設を建造しようとするのを、もし中国が「侵略政策の再現」と見なし、たとえ安保理決議などが一切なくても、中国がこの敵国条項を援用すれば、対日軍事攻撃に出ても、その中国の軍事行動は国連憲章に照らして「合法」であり、そして国際法的にも正当化されるので、反対にアメリカが日本を守るために日米安保条約に則って介入することは国連憲章上、許されないことになるのです。なんとも危険きわまりない話ではないでしょうか。この日本の安全と独立に対する危うさと深刻さを考えれば、国連分担金の支払に際しても、この条項を取り除く不断の努力が日本政府と国民の一人一人に求められるはずです。常任理事国になろうとする前に、まず、この条項の撤廃こそ、何よりも優先させるべきなのです。私は、このことを九〇年代からずっと言い続け、その具体的な対策についてもくり返し言及しているのですが、外務省や外務省に近い親米派や親中派の学者たちは、「敵国条項はすでに空文化している。常任理事国に立候補すればアメリカの支持があるから、日本は必ず常任理事国になれるはず」と言って、国民を欺いて多額のＯＤＡ予算の無駄使いを続けてきました。常任理事国になるのは悪いことではありませんが、その前に私はいまだにこの敵国条項が正式に撤廃されずに放置されていることに正直、焦燥感すら覚えています。

クリミア危機と満洲事変

実際、日本の外交史を見れば、日本はしばしば国際機関との関わりで大きな悲劇や失敗を重ねてきており、時には国家を存亡の危機に陥れることにもなりました。

ここで冒頭で触れたウクライナ危機（二〇一四年〜）とも関わってくるのですが、その適例は満洲事変と日本の国際連盟脱退（一九三三年）です。

満洲事変と現在のウクライナ危機は本質において、きわめて類似した出来事です。いずれも、同時代の「国際秩序の原則」とされるものに違背し、軍事力によって他国の領土の一部（満洲とクリミア地方）を分離し自国（ロシア）に併合、または新たに独立国家（満洲国）を建設したとされています（ただし、言うまでもなく当時の日本の行動には「リットン報告書」が認めるように一定の正当性があったことは忘れるべきではありません）。しかしその結果、日本は「侵略」と非難され国際連盟を脱退せざるを得ない状況に至りました。

クリミアを併合したロシアと比べ、仮に満洲国が「傀儡（かいらい）」だったか否かは別にして、日本は満洲を正面きって自国領土に編入したりはしていません。それにもかかわらず、国際社会からの制裁は日本に対する方がはるかに峻厳でした。その理由は、煎じ詰めれば、冒頭述べたように今のロシアが核大国であり国連憲章に「拒否権」という制度があるからです。この事実をもってすれば、**九十年前と現在とでは、どちらが「あからさまな力」がまかり通る野蛮な国際秩序の世界なのか、一概には言えないのです。**

いずれにせよ、最近のロシアによるクリミア併合は結局「お咎めなし」、つまりロシアに対し国際社会からの強い制裁なし（現在、欧米諸国が行っている対ロ経済制裁は、実効性が大いに低下しています）で終わることになろうと思いますが、「国際社会の制裁」といってもこの程度なのだと、中国はこの「クリミアの教訓」を深く胸に刻んだことでしょう。

外交・安保政策に「歴史」は不可欠

このように、当面の日本を取り巻く安全保障問題を取り上げても、そこには必ず、「日本の歴史」が浮上してくるのです。戦後の日本人は、たとえば外交や安全保障政策を考えるに際し、知識人やオピニオン・リーダーたちでさえ、愚かなことに「歴史」は捨象して考えうると思ってきたところがあるように思います。そして、それは近年とくに、知的にはレベルの高いはずの「親米保守派」や「現実主義者」と自負する人々の間でも顕著な傾向に思えます。そこにはさまざまな要因があると思われますが、一つ言えることはそうした日本のエリートたちの側にある、とりわけ安易な「西側（ウエスタン）意識」つまり、もうとっくに東西冷戦は終わっているのに、いまだに日本のエリートは自分たちのことを「西側」つまり「欧米世界の一員」と勘違いし続けているきらいがあるからかもしれません。**欧米といかに利害や政策が一致し緊密に協力していても、我々は決して欧米の一員ではあり得ない以上、つねに「日本」という軸を見失うことなく、同盟国アメリカに対してももう少し、「他者」として一線を画すことが大切なのではないかと思います。**

明治時代において、福澤諭吉の言う「脱亜入欧」は一定の成果を挙げましたが、それは、大正時代になると、結局あの「ヴェルサイユの幻滅」（欧米諸国による日本提案の人種平等原則の否定）に至りました。一九八〇年代の中曽根政権による「西側同盟路線」の成功はソ連崩壊に貢献しましたが、冷戦の終焉は古い「歴史の亡霊」を解き放ち、多くの日本人が良き理解者と思ってきた欧米メディアは、歴史問題での日本批判では、見方によると中国や韓国よりも根深い形で日本を「十字架」にかけ続けています。

日本の保守あるいは現実主義の立場に立つ安全保障・外交の専門家も、これまで以上に「日本」というアイデンティティを背負う気概が求められる時代になっているのです。私はこの二十〜三十年の間、親米の現実主義の立場に立ちつつ、実はこのことを一番力説してきたつもりです。彼らが、もう少し誠実さを発揮して「目を覚ます」ことを今も願い続けています。

9 英米覇権の時代と「明治百五十年」
——世界史の試練に生き残った日本

国難に囲まれた国

今年は明治維新から百五十四年目になります。明治は日本が近代化するきっかけになった重要な時代です。

この機会に、幕末そして明治維新以降、日本がどのような歴史を歩んできたか、世界史の観点から見直したいと思います。

まず明治という時代は、日本の安全保障が根底から脅かされた時代です。今もわが国には北朝鮮や中国などの脅威がありますが、幕末・明治の日本は桁違いの脅威に直面していました。

そもそも近代の世界史上、地政学的な宿命から、日本ほど危うい国は世界にありません。この百五十年、日本はその数々の困難を、よくぞここまで生き抜いてきた、まさに「奇跡の百五十年」と言ってよいくらいです。幕末から明治期の日本の周りには、北からはロシア、西からはイギリスをはじめとするヨーロッパ勢と、清国、つまり中国からの脅威もありました。さらに太平洋の東からは、アメリカの脅威にもさらされていました。

とくに明治の前半期は清国の「定遠（ていえん）」や「鎮遠（ちんえん）」などの巨大軍艦が日本周辺にやってきて、盛んに日本を威嚇し、長崎では清国水兵による暴動事件（一八八六年、長崎事件）も起きています。

当時の清国は今の中国と同様、海洋進出していて、清国軍艦は東シナ海から瀬戸内海にまで入ってきて、傍若無人の振舞いをくり返していました。さらに東からはアメリカのペリー、つまり「黒船艦隊」がやって来ています。このように欧米列強や中国など三方、四方から安全保障上のプレッシャーをかけられた国は、近代の世界史上でも、日本以外にはありません。

しかも、その挙句、ペリーによって開国させられた途端、日本の経済は一瞬で破壊されてしまったのです。日本から金が大量流出し、大インフレが始まった。徳川幕府は主にそれで急速に力を失っていきましたし、また新しい疫病（えきびょう）も海外からどっと入ってきました。

しかし何よりも、それまで触れたことがなかった全く異質な近代西洋思想が入ってきたことは、おそらくもっと大きな「脅威」でした。なぜなら、これには日本人の頭が狂ってしまうようなインパクトがあったからです。伝統的な価値観・文化が破壊され、当時の日本の知識人の中には、この「近代思想」の最先端に立って「封建的な日本の根本からの改革」を叫び始めました。

つまり、海外から攻められ、いつ植民地にされるかわからないという軍事・安全保障上の脅威。加えて経済と社会がひっくり返るような、国民生活が崩壊する脅威。さらには伝統的な価値観・文化が根底から否定され破壊されようとする脅威。

この三つの脅威が一度に降りかかってきたのが幕末・明治の日本であり、これも世界史上、ほとんど例を見ない深刻で複合的な大国難でした。

少子化はGHQが原因

話は飛びますが、安倍晋三首相（当時）は二〇一七年の総選挙に際して、北朝鮮の核実験やミサイル発射をめぐる安全保障危機と「少子化」の二つを日本が直面する「二大国難」として、全力でこれに立ち向かう、と明言しました。では、はるかに大きな国難に直面した明治期の日本から平成日本のこの国難に至るまで、近代日本の国難に共通するものは何なのでしょう。

まず現在の急速な少子化については、その起源がアメリカの対日占領政策にあったことが最近明らかになってきました。アメリカは対日占領政策形成の過程で、「昭和の日本は、なぜ軍国主義や侵略戦争に走ったのか」を研究した結果、増大する人口圧力に原因があったという結論に達しました。つまり、戦前の日本は国内の人口圧力に耐えられなくなり、無理矢理、他国へ膨張拡大せざるを得なくなった、という見方です。

そこから、日本の人口を減らすことが日本を平和国家にすることにつながる、という発想が生まれ、戦後日本ではGHQの指令によって大々的に人工中絶が推奨されるようになったのです。戦前は違法だった人工中絶が一転して、一九四八年制定の「優生保護法」により、ほとんどフリーパスでできるようになった結果、日本の人口は一挙にガクッと減ってしまった。この辺の事情は人口問題の権威で産経新聞記者の河合雅司氏が著書『日本の少子化　百年の迷走』（新潮選書）で詳しく述べています。

もう一つの原因は地方都市の衰退です。一九八〇年代から地方の衰退が始まっていきましたが、とくに地方の産業基盤の衰退が地方の少子化につながっているのではないか。そして、その原因は、日米の構造協議・経済摩擦での日本の譲歩にあったといわれています。その典型として、地方都市の中心部商店街の「シャッター街」化です。小売業は地方の活力を支える中心産業の一つでした。日本人はいまだに十分な認識がありませんが、日本では地方都市の市街地の中心部にも大型店舗が進出することは珍しくないのですが、あれはアメリカ国内でもやっていないような、大型店出店の大幅な規制緩和――〝外圧〟つまり日米経済交渉でのアメリカからの要求に応じた結果――をやっているから出店できるのです。

アメリカで大型店舗を地方都市の中心部につくろうとしたら、その地方都市の活力が一挙に崩壊することが懸念されますから、多くの州では幾重にも規制をかけて、中心部から遠い場所にしか出店させないのです。

では、なぜ日本でこんな徹底した規制緩和が実施されたのかというと、これはアメリカの覇権――つまり日本の安全を守ってやっている、という対日交渉でのアメリカのとりわけ強い立場――の下、アメリカ国内では到底できないような経済＝社会政策の実験場に日本がされてきたからです。戦後の「農地改革」がいい例です。米国内であれをやったら、革命が起こってもおかしくありません。

戦後の日本では「半封建主義が軍国主義の温床だ」という、GHQの情報員（のちにソ連の秘密工作員だったという嫌疑もかけられる）で左翼的な立場からの「日本通」とされたハーバート・ノーマンの理論に基づき、日本の軍国主義化を予防する、という名目で、日本の社会から大地主を撲滅することが必要とされ、農地解放が実施されました。

いずれにせよ、大規模小売店舗法の改正などに代表される、「外圧による規制緩和」は、まさに木に竹を接ぐようなもので、日本社会と地方住民の共同体の生命力に与えたダメージは実はきわめて大きかったのです。有機体としての地方都市を中心とする日本社会の根っこは、あれでズタズタにされてしまいました。この影響は予想外に大きく、もはや回復は不可能、あるいは回復するとしても長大な時間が必要です。

社会を持続的に発展させていくためには、いかに共同体に有機体としての生命力を保つかが大切なので、うわべだけの技術的・制度的・政策的な議論をしてすむことではありません。少子化を「国難」という以上は、それくらい掘り下げた議論が必要だと思います。

EU軍創設の衝撃

二〇一七年の総選挙で安倍晋三首相は、もう一つの国難は北朝鮮問題だ、と言いました。たしかに、核ミサイルの武装にひた走っていた北朝鮮問題は、世界でも日本が一番脅威にさらされていて、最も差し迫った関心を向けている問題でした。隣の韓国は「所詮、同民族間の話だから、話せばわかる」とばかりに、実のところ全く安易に考えているフシがありました。もちろん、中国やロシアはほとんど脅威を感じていないし、アメリカも米本土に北の核ミサイルが届く場合にしか、本当の脅威を感じていなかった。むしろトランプ政権の本音は一日も早く在韓米軍を撤退ないし縮小したいという点にあることは明らかでした。つまり、北朝鮮問題とは、自立した安保政策を持っていない唯一の関係国としての日本に固有の「日本問題」でもあるのです。

では、だれがこの「無能力国家・日本」にとって、北朝鮮問題をここまで耐えがたいものにしてしまったのか。それには「冷戦後のパックス・アメリカーナ（アメリカの覇権）への全面的依存」という平成の日本がとった選択、それがもたらした面があります。たとえば最近、「わが国も敵基地攻撃能力」を持つべき、という議論が各所で出てきていますが、北朝鮮問題を真面目に考えるなら、これはずっと以前に議論しておくべきでした。

ところが、これまでそれを言うと、アメリカの知日派（いわゆるジャパン・ハンドといわれる〝日本専門家〟）と日本の親米現実主義派は、決まって「矛と盾」の話で、この議論をつぶしにかかってきました。「本来、盾の役割を担っている日本が攻撃能力を持つと、矛としてのアメリカの役割と重なってしまい日米同盟関係にひびが入るから、敵基地攻撃能力は持たないようにしよう」という、古い冷戦期の安全保障政策、もっと言えば日本に自立した防衛力を持たせたくないアメリカの一部にある「弱い日本（ウィークジャパン）」派へのいわゆる「忖度（そんたく）外交」、これが冷戦後も徹底的に日本の手足を縛ってきたのです。決して左派の「空想的平和主義者」が反対したから、ということだけではないのです。

そもそも拉致問題も、敵基地攻撃能力が認められなければ、解決し得ない話です。では、もっと具体的に、それを妨げてきた元凶は一体だれなのか。それは日本の外務省、自民党とアメリカの国務省および国防総省です。

日本の安全保障ではよく「専守防衛」と言われますが、これはパックス・アメリカーナ体制が堅実で、日本が完全に守られていれば、それなりに有効な話だったわけですが、今や増大する中国やロシアあるいは北朝鮮の脅威を見ても、もはや明らかに「そうでない時代」に入っています。

そして、これが一番重要なことですが、目下、日本が北朝鮮問題よりももっと真剣に目を向けるべきなのは、米中という二大国が北朝鮮や南シナ海など安保問題だけでなく貿易問題や人権問題・台湾問題などでも、この先、互いにどう出るのか。果たして、今以上にもっと激しくせめぎ合うのか、あるいは結局は、いわゆる「大きな取引（グランド・バーゲン）」をするのか。これこそが、日本の命運がかかった問題です。そして今、この米中の間に挟まれた日本としては、非常に「間合い」が狭くなってきている。米中双方からの圧力によって、かつてないほどに日本の生殺与奪の権が握られてしまっています。**つまり、いざとなったら、一方で中国が日本に対して武力の行使に出る可能性、他方で、それと連動して、ギリギリの危機の中で日本がアメリカから離れたり、逆にアメリカが日本防衛の義務を回避して、中国と妥協する可能性、長期的にはこのいずれもが今、可能性として高まりだしたということです。**

アメリカの覇権の「終わりの始まり」──問題はそのスピード

日本ではあまり報道されませんでしたが、二〇一七年末、ヨーロッパで一つの動きがありました。いわゆる「EU軍の発足」を意味する軍事協定がEU各国によって正式に合意されたのです。NATOとは全く別に、今後はEUが欧州の軍事機構を傘下に入れることにもなるわけで、その核となる機構をPESCO（ペスコ・常設軍事協力枠組み）と称しています。しかし、これは欧州だけで収まらない話です。

この背景には、「アメリカ・ファースト」のトランプ政権の発足により、アメリカがヨーロッパから手を引いていくんじゃないか、アメリカは遅かれ早かれNATOの防衛義務を果たさなくなるんじゃないか、という危機感が欧州全体に蔓延していたことがPESCO発足の背景にあります。

それまでは、イギリスが「欧州としての軍事行動はアメリカが主要なメンバーになっているNATOが中心であるべきで、欧州はつねにアメリカと協力してパックス・アメリカーナを支えなければならない」「だからEUが独自の軍事力を持ち、アメリカを差し置いて武力紛争に介入するのは何があっても控えるべきだ。それは唯一NATOの仕事だ。欧州による軍事力行使はつねにアメリカを先頭に立てるべきだ」と言って強く反対していたのですが、そのイギリスの「EU離脱」で流れが変わりました。そして二〇一七年の夏、そのEU軍創設の議論の最中に、ドイツのメルケル首相は「他の国に我々ヨーロッパの安全を託すような時代は、もはや終わった」と言い切ったのでした。

プーチンのロシアも勢いを増しているなか、もはやヨーロッパはその防衛をトランプのアメリカに頼ってはいられないということでしょう。仮にEU軍のための出費に欧州各国が今後、GDPの数%を費やしてでも、欧州は自分で自分を守るべきだ、という考えが、ドイツ・フランスを中心に急速に浮上しPESCOの発足へと結実したのです。とりわけ、「金を払わなければ、守ってやらないぞ」とうそぶくトランプ大統領を前にして、欧州あるいは翻って日本にとっても、自主防衛の道を模索するしかないことが明らかとなってきたのです。しかし、こうした同盟国のアメリカ離れの行き着く先は、冷戦終結以降続いてきたパックス・アメリカーナの黄昏、つまりアメリカの覇権の「終わりの始まり」ということです。

実は世界でこれほどの変化が起きているのに、当時、朝日新聞も含め「日米同盟万々歳」という路線に収斂（しゅうれん）している日本のメディアは、トランプ外交が同盟国の離反を招いていたことをほとんど報道していませんでした。北朝鮮問題に視野を奪われ「米朝開戦迫る」といった見出しのセンセーショナルな姿勢で北朝鮮に集中しすぎて正常な視野を失っていたのです。

中国と違って、多くの信頼できる同盟国を持っていることが、アメリカのパワーの圧倒的に有利な点で、それがアメリカの覇権を支える大きな柱なのです。ですから、バイデン政権の登場で同盟国重視が唱えられるようになったことで、アメリカの覇権の「寿命が延びる」ことになりそうで、これは日本にとっても実は好ましい展開ではあるのです。

英米覇権に適応できた時代

しかし大筋で見ると、やはり「冷戦後のパックス・アメリカーナ」も終焉へ向かう雰囲気を見せていますが、これをさらに長いスパンで見ると明治から今日までの百五十年間はたしかに米英のアングロサクソン勢力が主体の世界覇権が続いた時代でした。

かつて「日本は何があってもアングロサクソンについてゆけば安泰なのだ」とくり返していた評論家がいましたが、たしかにこれまでは、この覇権秩序に日本はうまく適応してきたから、今日まで生き残れたとも言えます。ただし、前述のように、実はそのために日本は一貫して多大な代償を支払わされてきました。そして問題は、これからは果たしてどうなのか、ということでしょう。

日本は明治以後、アジアでいち早く近代化し、わずかな期間で列強の一角を占めるまでに成長しました。その後、あの戦争つまり第二次世界大戦の挫折を経験したけれど、戦後は「奇跡の復興」と呼ばれるほどの短期間で見事に立ち直った。これには他に選択の余地はなかったにせよ、日米同盟という形で前述のアングロサクソンの覇権に再び適応したからです。もっと言うと、**福澤諭吉をはじめとする先人たちが明治期に一生懸命、アングロサクソンの覇権システムに適応しようとした努力が、戦後の復興にも寄与したとも言えます。適応能力という点では――ときに「過剰適応」という弊に陥ることもあるが――、日本人はもともと世界を見る目に優れており、「どこと組むのが有利なのか」を知的で敏感に観察していました。**

しかし、逆に「世界が日本をどう見ているか」という冷静な視点とそれを踏まえた自覚が今もって著しく欠けているように思えるのです。とくにイギリス・アメリカに代表される、アングロサクソン勢力が日本をどう見ているのか。そして反対に、我々は彼らを本当に理解しているのか――ということです。

この百五十年、日本はつねにこのことが問われていたのに、その点では今もって落第したままです。今日のように中国とアメリカがせめぎ合う時代で、日本人の中にはなから「中国を信頼できない」と感じる人が多い以上、それなら、もう一方のアングロサクソンのアメリカについても、より深いところで理解しておくことが一層重要なのです。

彼らは「その時（つまり、もしもの時）」にどう振る舞うのか――そもそも彼らは、同盟や約束についてどう考えているのか。それにはアングロサクソンといわれる人々の考え方、発想について、よく知っておくことがとりわけ大切だと思います。

世界史の視点から見た「日本開国のシナリオ」

これについてもう一度、根底から考えてみることは、日本人が米欧の文化に触れ始めた明治開国から百五十年たった今が、ちょうどいい機会ではないでしょうか。

その時に参考になるのが、当時の香港総督（東アジアにおけるイギリス植民地の最高責任者）の通訳官を務めたカール・ギュツラフ（一八〇三〜一八五一年）の日本観です。

ギュツラフはイギリスのアジアにおける覇権拡大の最前線に立った人物で、アヘン戦争後、中国以外の他のアジアの国々をどのようにして開国させるべきかを綿密に研究しています。そこで彼は、当時の日本の実情を正確に分析したうえで「日本が一番開国させやすいだろう」と結論づけています。さらに日本人の情報分析能力の高さや国民性の誠実さ、科学技術への関心の高さを称賛しています。

つまり日本は大いに褒められているわけですが、問題はここからです。つまり我々は、そこで単純に喜んではいけないのです。注目すべきは、これだけ透徹した目をもっている、アングロサクソンの覇権能力の高さの方なのです。

結局、このときイギリスは日本に開国を迫らず、代わってアメリカのペリーが来たのですが、これも英米間での「取引」（少なくとも暗黙の）と計算があってのことです。これについては、サー・ジェームズ・スターリングという、当時のイギリス東洋艦隊の司令官が次のような趣旨のことを述べています。

「開国させれば日本は商業的に重要な国になるが、それ以上に政治的にも重要なパートナーになりそうだ。しかし、すでにアヘン戦争のニュースを聞いている日本人を無理に開国させるとその後、長くイギリスの敵になり、商業的、政治的な利益を失いかねない」、だからアメリカ人にやらせようというわけでしょうか。覇権国のイギリスより、新興国のアメリカの方が日本人も警戒心を持たないだろうという発想があったと考えられます。

言ってみれば、これが「日本開国のシナリオ」だったのです。「明治百五十年」を言祝(ことほ)ぐだけでなく、覇権をめぐる世界史の観点からこういう日本の真の歴史を、今日の日本人はもっと学ぶべきです。

さらにアングロサクソンの日本観ということでは、ペリーの日本に対する印象も重要なカギです。日本の高度に進んだ都市文明や技術力の高さ、その旺盛な好奇心や知識の量についても非常に高い評価を下しているからです。

このような日本に対する「アングロサクソンの高評価」は、明治の開国前にほぼ固まっていました。実際、その後、日本に来た英米人は軒並み、他の西欧人以上に、日本に対しこうした高い評価を残しています。

しかしそれが何を意味するか、この百五十年、そこから先を真剣に考え抜いた日本人はほとんどいませんでした。それは近代以降の日本人自身が、世界に対して非常にナイーブな、感情的な視点しか持てなかったために、これらを単なる「褒め言葉」として受け止めてしまったからだと思います。ここに二十世紀を通じて見られる、日本と英米とのもう一つの認識の深刻なギャップの源がありました。

アングロサクソンと明治史

アングロサクソンは日本の潜在力をきわめて高く評価していましたから——それが実は恐ろしいことでもあるのですが——、彼らにとって明治以後の日本の近代化の成功や経済発展は、全然不思議ではなかった。明治日本を観察した英米の日本通にとって、いわば、それは「予定のコース」だとさえ受け止められていた。彼らはそこまで情報通だったのです。

日本人が危ういのは、こうやって高く評価してくれる国は、きっと日本に対し好意的なのだろうと手放しで思ってしまうこと。これが日本人の世界認識の最も危ういところです。他国のことを「高く評価する」ということは、好意よりも場合によると、警戒心が強くなることも意味します。

とくに世界の覇権を握っているような国は、きわめて敏感に、自分の地位を脅かす危険な潜在的ライバルはどの国か、目を皿のようにして世界を見ているのです。

こうした徹底的な自己中心主義と性悪説的な他者観が、一神教や近代の西洋思想の根幹にはたしかにあります。とりわけアングロサクソン民族の国民性には大変根強くあるように思います。

他国、とくに明治の日本のような「潜在敵国」に対する覇権国の高評価が直ちに鋭敏な警戒心につながることは、ギュツラフからペリー、さらに最近だとアメリカの日本研究家、エズラ・ヴォーゲルの著者『ジャパン・アズ・ナンバーワン』（一九七九年）によく表れています。昭和末期の日本人は「ジャパン・アズ・ナンバーワン」と言われて舞い上がりましたが、その後、見事にバブルが崩壊し（あるいは崩壊させられ）日本は奈落の底に突き落とされました。

これは我々日本人が覇権主義の世界の中で、いかにうぶで田舎者だったかを示しています。バブル崩壊後の、この「失われた三十年」をくり返さないためにも、日本は今も国際金融をはじめとした世界覇権を握っているアングロサクソンの考え方を、もっと深く研究しておくことがきわめて重要なのです。

今日、改めて「明治百五十年」を考える際、大東亜戦争あるいは第二次世界大戦の敗戦とともに、この「バブル敗戦」は、近代日本とアングロサクソン覇権の関係を考えるときの大変重要な教訓なのです。こうした視点からのアングロサクソンへの考察をベースにすると、日本の近代史をかなり違った視点で理解することができます。

以前は「坂本龍馬がイギリスの武器商人の手先で云々」という陰謀論のような新説も注目されましたが、アジア・アフリカの近代史をそれぞれ切り取ってみると、どこの国にもそういう側面は必ずあります。近代資本主義が世界に広がっていった時代ですから、覇権国の金融資本と結びつくとか、覇権国の政府関係者が途上国のエリートに対しさまざまな工作をしたり、今日においても、英米など各国が途上国の内部に親英米派勢力を拡大させようとする、こういう動きはつねにありました。

しかしもうちょっと真剣に明治維新を論じるとしたら、先ほどのギュツラフ、彼の甥で後に駐日英国公使となるハリー・パークス、そしてパークスの部下として倒幕と明治維新を演出していったアーネスト・サトウ。こういった面々が、アヘン戦争から日清戦争に至る半世紀を通じて、大英帝国による「覇権主義の先兵」として東アジアを動かしていたわけです。その過程で、維新そして明治の近代化が進められたことは忘れてはいけません。

実際アングロサクソンの対日戦略の歴史を研究していけば、従来のあまりにも固着した薩長史観、あるいは「長州征伐」とか「将軍継嗣問題」などといった、国内史だけで歴史を覆い尽くすような明治維新史――それは、ちょうどいわゆる東京裁判史観を守るために戦前の日本国内の出来事しか扱わない戦後の昭和史研究とよく似ています――よりも、ずっと良質な歴史観が得られるように思います。

アーネスト・サトウには今もよくわからない部分が多いのですが、パークスに関しては少しずつですが信頼できる資料が残っていますので、まずはパークスの例を見ていきましょう。

パークスを通して近代史を見ると、彼は一貫して支那つまり清国と関係が深いことがわかります。当時のイギリスは「パックス・ブリタニカ」を体現した大外交家パーマストン（一八三〇年代から六〇年代にかけて、数度にわたり外相を歴任し、最後は首相在任のまま死去）の考えに基づいて、ロシアの南下による脅威を中国大陸に拡大させないため、なんとしても早急に清国を開国させるつもりでした。そのため、パーマストンのそうしたアジア戦略の実行者（つまりその先兵）として、アヘン戦争にパークスは自ら参加し、後に外交官になってからは、先頭に立ってアロー号戦争（一八五六〜六〇年、第二次アヘン戦争とも言われる）をも引き起こして清国を追い詰めています。

当時の清朝はアヘン戦争（第一次）で負けても敗北を認めず、北京に外交使節を入れなかったので、アロー号戦争を仕掛けられイギリス・フランス軍に北京の紫禁城まで攻め込まれて、完全に追い詰められ、大変過酷な北京条約（一八六〇年）を結ばされました。

明治期は日本にとっては誇らしい時代ですが、中国にとってその時代はこのようなきわめて悲惨かつ屈辱的な歴史なのです。

実際、現在の習近平政権は、「（北京条約などの屈辱を乗り越えて）中華民族が世界にそびえ立つことが目標なのだ」と言っています。

二十一世紀の今日、中国が古い帝国主義的なスローガンを叫ぶ背景には、このアロー号戦争、北京条約という一八五〇～六〇年代のあまりにも苦い歴史経験があるからで、日本人には明治は「過去の歴史」ですが、中国人には「現在も生きている歴史」なのです。習近平中国の分析にはこういう視点が必要なのです。

パークスが演出した明治維新

その後の一八六五年、パークスは三十七歳で駐日公使となって日本にやってくるのですが、それまでに中国の太平天国の首領とも会ったりして世界史的な大事件の舞台で、いろいろな経験をしていたから、年の割にすでにきわめて尊大な威信を身につけての日本赴任でした。日本に上陸したパークスは、まさに大英帝国を背負って「日本改造」という大きな使命に着手しました。そしてその実行を担ったのは、部下の「工作員・アーネスト・サトウ」でした。

一八六五〜六六年という時期は、まさに「日本史の分岐路」といってもよい決定的な時期でした。長州征伐が停滞し、幕府に未来がないことがわかってくる時期です。

しかしそれでも薩長は反目し、国内は混沌としています。その絶妙のタイミングで六六年の三月から五月にかけてパークスはサトウを使い、横浜居留地で発行されていた『ジャパン・タイムス』という英字新聞に「英国策論」という記事を書かせ連載させました。この記事には「討幕のために薩長は手を結ぶべきだ。そして日本を統一し、西欧と本格的に交易する近代国家に導くべきだ」という明治維新の基本構想と、その後に現実となってゆく具体的なシナリオが説かれていました。

まさにこの記事が明治維新をつくった、と言っても過言ではないかもしれません。というのも、この記事の翻訳が岩倉具視（いわくらともみ）や大久保利通ら多くの維新の立役者の残した関係文書にも残っているからです。実際、当時の維新の志士たちは、この記事の邦訳をみんなで回し読みしていたので、まず西日本で大きな反響があり、わずか三カ月で全国へ広まる一種の大ベストセラーとなり、文字通り「維新回天のバイブル」になりました。

その少し前の時代に、水戸の地から勤皇思想を広げた『新論』（会沢正志斎著）と並んで、この「英国策論」が、明治維新の志士を駆り立てる、非常に大きなイデオロギー・戦略・政策・構想の真の源泉であったと言えるでしょう。

このようにして「明治維新のゴッドファーザー」となったハリー・パークスは、その後も日本公使（二十世紀の大使に相当）として、十八年間（一八六五〜八三年）、幕末・維新期の日本に君臨しました。

彼はその間ずっと大英帝国の駐日代表、つまり実質的な「日本総督」だったわけですから、近代日本の創設に及ぼした彼の発言力は、実は我々の思っているよりもはるかに大きいものがありました。彼こそは、まさに「明治のマッカーサー」だったのです。今日この観点から、もう一度、明治維新の国際的契機というものを再検討する必要があるのです。当時のドイツ人医師の日記（『ベルツの日記』）には「パークスが何か言うと、いつものように維新政府は直ちにそうした」という意味のことがくり返し書いてあります。

具体的には、たとえば日本が行った台湾出兵（一八七四年）やその後の日清間の天津交渉、さらには明治政府とロシアとの間に結ばれた樺太・千島交換条約（一八七五年）にはパークスがきわめて大きな影響力を及ぼしました。

とくに樺太・千島交換条約の場合、イギリスとしてはロシアが千島列島から太平洋に出てくるのを防ぎたかったので、日本に対して強い圧力を加えて樺太全体を放棄させ、代わりに（イギリス海軍の都合に沿って）千島列島を日本領として押さえさせました。

これはまさしく、冷戦期にオホーツク海をソ連の核ミサイル潜水艦の聖域とする戦略のソ連海軍にアメリカが対抗して、オホーツク海への日米側のアクセスを確保するため、日本の海上自衛隊と米海軍によるＰ３Ｃ戦略を採用させたのと全く同じ発想です。**こういう地政学的な発想や保護国の巧妙な「内面指導」による操縦とその力の利用というやり方が、覇権国としてのアングロサクソン独特のアプローチとして、百五十年の時代のスパンを挟んでも実に、よく符合しています。**

明治から現代に至るまで、日本に対するこのアングロサクソンのアプローチの仕方、日本への影響力の行使という観点では実に驚くほどの連続性があるわけです。

パックス・アメリカーナの黄昏

そして今、より大切なことは、前述のように「中国の台頭」によって「パックス・アメリカーナの黄昏」が迫っているのではないか、という見方が広がっていますが、それは、果たしてどこまで差し迫っているのかは慎重に見ていく必要があります。もしそうなら、「アングロサクソン提携による戦後平和」の時代が歴史的かつ最終的に終わろうとしているのではないかということになるわけです。

そこが今日、わが国にとって最も心すべき歴史の大きな分岐路として浮上しており、まさにその時に、「明治百五十年」を迎えているということなのです。そういう点で今、日本は文字どおり、「かつてない挑戦の時代」を迎えているという気持ちで、この年を迎える必要があったと思います。

言うまでもなく、「パックス・アメリカーナ」が終わると、**日本は好むと好まざるとにかかわらず、自力で、つまり本当に自立した自主防衛とそれに裏付けられた自立した外交を選択しなければなりません。**

そして「自前の安全保障」ということになると、最後に、決定的に重要なのはやはり歴史認識の問題です。「明治百五十年」といいますが、ではちょうどその真ん中の折り返し点である七十六年前のあの戦争をどう総括するのか。それを避けての「明治百五十年」の祝賀などナンセンスの極みです。しかし現実にはいまだにそれがないから、国防・安全保障においても日本は自立できないのです。「あの戦争」をめぐる歴史観が、今のままの「あれは侵略戦争だった」というのでは、日本はいくら憲法九条を改正しても決して自主防衛などできないでしょう。

たしかに、多くの人が言うように、日本は百五十年前の明治人の気概を思い出せば奮起できそうな気になりますが、そうすると次の瞬間、必ず七十六年前の「侵略戦争をやった日本」という、あの悪夢の歴史観が甦るのです。安倍首相の「七十年談話」でも、あの戦争を思い返して、くり返し「侵略」と「謝罪」に言及し、村山・河野談話を継承してしまったのは、やはり「パックス・アメリカーナ」という、日本にとっての牢固とした戦後レジームを踏襲していたためです。これは決して「反米」的な発想ではありません。むしろバイデン政権以後のアメリカとは真に対等で積極的にリスクを引き受ける本当の意味での親米の立場から、より緊密な同盟国になることをめざさねばなりません。

しかし、「明治百五十年」に胸を張るならば、そして憲法を改正して真に対等で誠実な日米同盟関係の上に立った自主防衛をめざすなら、その前に我々は、この「七十年談話」をはじめとする謝罪史観を超える総括——そして多くのアメリカ人と共有できる総括——が必要なのです。そして、これが世界史的な出来事としての「明治百五十年」を見たとき、日本が迫られている一番大きな課題なのです。

10 米中対立の時代の日本人の生き方

良き日本人をやめる

私は、大学卒業以来四十年以上を国際政治学者として、また歴史家として国際政治や国際秩序の歴史を勉強してきました。二〇二二年の春に大学を去るに当たって自分なりの結論といいますか、今後背負っていかなければいけない学問上の大きなテーマだと思ったのは、「国際政治と日本の心」はどうすれば両立できるのだろうかということです。これほど難しいものはありません。

よく、日本は「外交音痴」だとか、「世界を知らない」とか、「国際政治に弱い」とか、いろんなことが言われます。また、日本人は戦略的思考が乏しいとも言われます。たしかに、そうだと思います。では、なぜそうなのか。私は、この四十年間、その問題をずっと考えてきましたが、そこにある一番大きな障害こそが「日本の心」なのです。

この「日本の心」がある限り、日本人は国際政治や外交を得意とすることができないのです。絶対に、と言ってもいいでしょう。両者は根本的に相矛盾するものだからです。

私は、海外のいろいろな国に住んで、それぞれの国で国際政治や歴史を勉強しました。そして日本人が最もいい外交官になるにはどうしたらいいのか、日本人が最もすぐれた国際情報収集家、あるいは優秀なスパイになるにはどうしたらいいのか、日本人が国際場裡でキッシンジャーのように大活躍する外交官を生み出すにはどうしたらいいのか、と考えてきました。

答えは「日本の心」をなくすことです。良き日本人であることをやめることです。そうしたら、その人は日本外交を完璧にこなすことができます。ですからこの二つは、それほど対極的なのです。

なぜ「日本の心」は国際政治に向かないのか。そもそも、国際政治とはどういう営みなのか。そして、「日本の心」の本質とは何なのか。最後に、そのことを掘り下げて考えてみたいと思います。

言うまでもありませんが、我々にとって国際政治というものは避けては通れません。しかし、もしもできるなら日本人はそんなものには触れないほうがいいと思います。日本人としては、そのほうが、はるかに幸せに生きることができるからです。ですから、外交や国際政治を志す日本人には、「精神的な幸せ」ということでいえば、「人生を棒に振る覚悟」が要ります。それは、たとえ学者でも同じことです。

私も、国際政治の実際の現場に数々立ち会ったことがあります。また、世界中いろいろなところを旅行し、しばしば戦場を訪れたりしたこともあります。また、今のシリアのように内戦をやっているところもたくさん訪れました。戦争と外交は現象としては違いますけれども、本質は同じです。そのたびに思ったのは、やはりそういう営みにはできるだけ触れないほうがいい、そのほうが人間として幸せである、ということです。別に危険だから、というわけではありません。そのほうが日本人としての心を失わずにすむ、というような思いをずっと重ねてきたからです。

外交下手は「この国の宝」

とはいえ、国際関係は国として避けて通ることはできません。どこかの国と外交関係を持って、尖閣（せんかく）諸島問題のように、場合によると外国とやり合わないといけないときもあります。いろいろな主張をお互いにぶつけ合って、さまざまな駆け引きをし、つねに「最後の最後のこと」も考えておかなければなりません。

その過程では、私たち日本人同士が日常の感覚ではおよそ考えつかないような発想とか企み、駆け引きということをやっていかなければなりません。そこには大小の裏切り、酷薄、残忍、鉄面皮、あらゆる資質が求められます。したがって、日本人が外交や国際関係、ましてや国の守りを考えることは、本当に大変なことなのです。そして日本人にとっては、これは普通の国の人の何倍もの重荷を背負うことになるように思います。**国際社会においては物事は、単純に力だけでは進みません。もちろん「話し合い」で済むような話ではないから、「紛争」というのです。善意でもなく、強制でもない、これは日本人にとってはまことに難しい課題だと思います。**

しかし、私はこの日本の外交下手、いわゆる国際感覚の欠如こそ、実は「この国の宝」でもあると思っています。

そしてまた、この国が危急存亡の事態に陥ったとき、日本外交におけるこの「対外的不適応」の原因である「日本の心」こそ、この国の守りの最後の拠り所となるものだと思っています。たしかに今の日本には、経済成長やら国民の暮らしやら、いろいろな課題が山のようにあります。しかし、すべてにわたる大前提は、国の守り＝安全保障です。国の安全や秩序が維持されて初めて国民の生活や市場経済が成り立つのです。

そしてこの、国の守り、いずれ直面するであろう「最後の最後のこと」に日本人が立ち向かう上で、「日本の心」こそが、必ず大きな拠り所になると思うのです。**民族や文明の本質、滔々（とうとう）たる歴史の中に流れる日本人の「国を思う心」は、わずか七十余年の「戦後平和」で消滅したりはしません。それは、徳川時代約二百五十年の眠りに比べれば、物の数ではないからです。それでも明治の日本人はそういう心を失いませんでした。その意味で、国の安全とその国の国民が持っている心のあり方、国民の公共精神とは、つねに一体のものだと思います。**

外交は特殊で危ういもの

そもそも、国家というのは何のためにあるのでしょうか。

西洋文明圏では、国というのは、大体において意識的に、「みんなで国をつくろう」ということでつくってできたものです。ですから、国家というものには必ず目的があります。ローマ以来のヨーロッパの歴史では、これを「国家目的の三本柱」

といっていますが、国家にも三つの目的があるとされます。
一つは、防衛安全保障。国防、国の守りです。国と国というのは、お互い、平和な時でも、潜在的に「けんか」している状態なのです。我々個人は、普通の近代国家においては胸にあいくちを隠し持って、ポケットにピストルを携えて道を歩いているわけではありませんが、**国際社会というのはお互いに武装した国同士が向き合っているわけです。これは本質的に「戦争している状態」ということです。国と国の関係は、人と人、会社と会社、集団と集団の関係とは比較しようもない、きわめて特殊な、そして危ういものなのです。**

これは、端的にいえば〝アウトロー〟の世界です。一つ間違うと「やくざの世界」に似て、いきなり血が流れる世界なのです。それが合法的に正当性をもって成立しているのが国際社会の本質です。だからこそ、ことさらに「友好」とか「親善」と機会があるごとに言っていないといけないのです。ところが、日本人は、そう言っていると本当の意味で友好的になれると思っています。しかし、国と国の間では、それはあり得ません。だからこそ、「友好」「親善」と言い続けるしかないのです。

たしかに、国際法という特別な〝法律〟があります。国連憲章など国際社会を規定するルールもあります。しかし、この法律やルールを破ったからといって、お前、けしからんじゃないかといって、法や正義の立場に立って処罰するような、そういうことを守らせるだけの力と権威をもった裁判所もなければ、世界政府も国際社会にはありません。たしかに、国連つまり国際連合で話し合いをし、決議を挙げ、国際司法裁判所でとりあえず判決は出します。しかし、たとえどんな決議や判決が出ても、従わない国——とくにアメリカや中国のような強国——に対して国際社会が武力を使って従わせることはできません。しかし日本人はこのことを十分、胸に刻んではいません。ですから、湾岸戦争でも北朝鮮の制裁問題でも、つねに勘違いばかりしてきました。

日本の裁判だったら、判決が出れば執行官が来て、裁判所の命令どおりに立ち退きをさせます。土地の明け渡しを実行してくれます。しかし、国際社会にはそんなものはありません。

尖閣諸島の問題で、日本が仮に中国と国際司法裁判所で争い、「日本の領土である」という判決が出ても、司法裁判所や国連には強制的に判決内容を執行する力がありません。「中国が不法に占拠しています、どかせてください」と言ったところで、それは自分でやりなさいと言われます。**自分のことは自分の力でやる、これが**

国際社会の鉄則です。

我々が日本で普通の市民生活をしていて、そういう「力の営み」というものを経験することはまずないでしょう。しかし、私たちが一歩、国の外に出ると外の世界は荒波に満ちています。「自分の国がある」ということは、何とありがたいことでしょうか。昔の人が「お国のため」と言ったのは、そのことがどこかでわかっていたからかもしれません。外国との間では、つねに、もしかすると血が流れることをも覚悟しつつ、しかし平和のためにはギリギリのところで話をつけなければならないのです。

昔の人は「国恩」と言った

たとえば日本の企業と、中国の企業がお互いに取引をしている場合について考えてみましょう。ふだんは信用で取引しているからスムーズにいきます。しかし、たとえば貸したお金を返さない、契約を履行しない、あるいは財産を横取りされてしまった、というような場合、これを「救済してくれ」といっても、国境を越えた救済ですからさっきの論理と同じことです。国境をまたぐとまったく論理が変わってしまうのが国際社会というものです。そこでは、たとえ口に出さずとも、いつも潜在的に「敵か味方か」という関係になってしまって、何か起こると、話し合いで済めばいいけれども、済まないときには「最終的にはこれですよ」という明示的あるいは暗黙の脅しの論理がつねにその底に流れています。現代の日本人はまず、そういう世界があるということを肌身で知っておかなければなりません。

たしかに我々は、日常そういう世界と直接触れ合わずに済んでいます。**道端でだれかが張り倒されてお金を盗られても、訴えていくところがあり、救済が可能である、そういう世界に生きていることの幸せを当たり前と思っていますが、これは考えてみればありがたいこと、幸運なことなのです。一歩外へ出ると違うのだ、という世界観があれば、日本列島の中で平和を保ち、お互いに仲よく暮らすことのできる日常というものが大変ありがたい、素晴らしい生活空間だと思えます。**この、しっかりとした国というものがあることの恩恵、これを昔の人は「国恩」とも言って意識していました。

現実に世界のいろいろなところを歩くと、多くの地域では国の秩序が崩壊しています。ですから自分でピストルを持ちます。しょうがないから闇市でピストルを買って、夜はそれをベッドの下に置いて、朝が来るのをピリピリしながら待っているという国もあります。

そういうところに行くと、日本に帰ってきて、たとえボロを着て、食事も満足にとれなくても、「何とありがたいんだ」「本当に帰ってきてよかった」という実感がわくでしょう。世界にはそういう大変な国もある、という世界の実像をつかんでおけば、ふだんは意識しませんが「日本に生まれた幸せ」というものがひとしお大きなものだとわかるのですが、今の日本ではそうした実感を持つこと自体が、なかなか難しいわけです。

二つ目に、近代国家というものはつねに国民に豊かな生活を与え続けなければなりません。今日よりも明日、明日よりも明後日（あさって）と、世の中が進歩し豊かになっていく、そういう発展の方向をつねに示さなければなりません。これが第二の「国家の目的」です

しかし、これら二つとあわせて、三つ目の国家の存在価値というものがあります。そして、これが一番大切なのです。**それは何かというと、「人の心」です。国民の精神、誇り、アイデンティティ、生きがいというものを守り伝えることなのです。**そう言うと、今は価値観は多様だから、国は関与すべきでないなどと薄っぺらなことを言う人がいますが、そもそもその「価値観の多様性」を守る、ということ

も、つまるところ国家にしかできないことなのです。

少し抽象的な話になりましたが、今のところ、この日本という国が確かに安全で豊かな国であるということは間違いありません。しかし、今の若い世代に対しても、この三つ目の柱を、つまりかつての世代が持っていたような、日本の国民であることに我々は生きがいや誇り、幸せを感じさせることができているでしょうか。普通の国なら多くの国民が当然のこととして持っているこのようなことが、今の日本では多分に欠如しており、それが一番大きな課題になっているように思います。そして、今のようにこの点が揺らぎ続けていると、いずれ第一、第二の柱も崩れていくことになるでしょう。それが恐るべきことなのです。

中国の行為は〝侵略〟に相当

ここで、例として、先ほども少し触れました尖閣諸島をめぐる日中関係の問題を考えてみましょう。

この問題では今も依然緊迫した状態が続いています。恐らく、いずれ大きな山場がやってくると思います。ご承知のように、二〇一〇年の漁船の〝衝突事件〟をきっかけに、中国の「尖閣攻勢」が激化の一途をたどっています。尖閣をめぐっては、当時、中国全土の数十カ所の都市で反日暴動が起こり、日本企業、日本商店を襲撃したりする出来事が広範に起こりました。これは戦前の中国によくあったような大規模な反日（抗日）運動だったと言えるでしょう。そして、今日も中国政府の船、公船が尖閣諸島周辺の接続水域から領海をしばしば侵しています。これは日本の立場からすれば、はっきりとした日本への領土侵略と言っていいでしょう。

領土問題がないところに「領土問題がある」といって入ってきたら、それを国際法上、普通、侵略といいます。この間の中国の行動は、侵略という定義にぴったり当てはまります。これを話し合いや国際司法裁判所で解決できればいいのですが、それが難しい、となると次に、日本政府はそれを言い立てて国際連合の安全保障理事会に訴えてもいいわけです。

主権を奪おうという意図を持って公の船を他国領域に恒常的に侵入させている、それを侵略という。それが世界の常識です。中国は、軍艦を出して大騒ぎし、「領有権の争いがある」ということを日本も認め、「話し合いのテーブルにつけ」と言い出しています。そして、戦後、何十年も延々とやっている日露領土交渉のような、〝日中領土交渉〟に持ち込んでいこうとしているのです。そうすれば、あとはいつでも占領できるからです。

少なくとも、今の世界に広がっている見方は、日本と中国は領土問題でもめている、どちらが実効支配しているかは一見してよくわからない。そこで、今後もし日本側が中国の言い分を受け入れて交渉に入った、となると、これは「フィフティー・フィフティー」つまり「どっちもどっち」、両国間でよく話し合ってくださいね、ということになります。何かの必要上、尖閣諸島を「中国軍が管理する必要があるんだ」となってきたら、交渉中に占領という出来事に至っても、それ自体に対しては国際紛争の継続状態は続いていると見なされ、「武力行使はやめて両国間で解決してください」となります。そして国際司法裁判所などに訴えても、あるいは日本が国際連合の安保理に訴えても、おそらく取り上げられないでしょう（何と言っても、中国は安保理常任理事国です。議題にするのをハナから拒否するでしょう）。

そして結局、そこでも「二国間の話し合いで決めてください」ということになりますから、中国が武力行使しても、もはや訴えるところがなくなってしまいます。国連というのは、その程度のところです。それなのに、戦後の日本では外務省を先頭に「国連中心主義」などと、誤解していたのです。この点でも「戦後日本の誤謬（びゅう）」から一日も早く目覚める時です。

日本は今や成熟した大人の国に

したがって、尖閣について中国と「話し合いをする」ということは、ものすごい大きな意味を持つのです。相手（つまり中国）が「もめ事がある」と言って交渉を求めているから、日本政府は話し合え、という無責任なことを口にする日本の評論家や経済人がいますが、これは危うい勘違いです。たしかに「話し合い」で今の状態を何とかしなければいけないわけですが、「話し合い」が（領土）交渉と見なされてしまうと絶対にいけないのです。だから、日本政府は非常に慎重に構えているわけです。これは正解だと思いますが、いつ崩れるか私は気が気ではありません。

いずれにしても、海上保安庁の皆さんは大変頑張っています。あのうねる高波の海で、昼夜を問わず張りこみで頑張っているわけです。あの辺はしょっちゅう台風がくる海ですから、本当にその努力には頭が下がる思いです。しかも、何日も陸に戻れません。海の上で何週間も生活を続けているような職員がたくさんいます。その努力には本当に頭の下がる思いです。まさに最前線で国を守ってくれているのです。

そしてその後方には、日本の海上自衛隊の護衛艦も張りついています。中国も、海警という公船の後方で三隻か四隻ぐらいの艦隊が張りついています。言いかえると、近年の軍事技術では百キロ、二百キロを飛んでいくようなミサイルは当たり前ですから、これはお互いに「一触即発」の状態になっているのです。大変ゆゆしい状況です。こういう状態は必ず何とかしなければなりません。しかし、ここはとにかく頑張り抜かねばなりません。

ただ、ここで特筆すべきことは、**このような状況の中で、日本の国民の中には、中国の暴徒のような行動に出る人は、今のところほとんどいないことに世界は注目しています。**国民がパニックにもなっていません。これは、大変すばらしいことです。これには各国、みんな目を丸くしています。東京に来ている外国メディアの特派員がいくら取材をしても、日本人が中国人のようにパニックになったり、激しいナショナリズムを唱えて大規模に乱暴狼藉(ろうぜき)を働いたり、あるいは中国人を襲ったり、中国大使館を襲撃するようなことはありません。**日本は大変成熟した大人の対応をしていると、当初は中国の肩を持っていた国際世論も少しずつ変わってきました。**

従来、中国政府は「中国人の持ち物」を日本政府が一方的に国有化した、と国内にも海外にも喧伝してきました。そのため、初めは、海外メディアでは「日本が先に手を出した」という受けとめ方が多かったのです。

「防人(さきもり)のDNA」

ところが、いろいろ調べると状況はどうも違うとわかってきました。日本がずっと実効支配していたし、もともとは領有権の争いもなかったのだと。戦後、長らく中国側も領有権の主張は一切していなかったのに、七〇年代になって急に「中国の領土だ」と言い出したのだとわかってきました。なぜならば、尖閣諸島に資源があるとわかったからだ、ということも諸外国はやっとわかり出したのです。

世界の見方は変わってきていますけれども、しかし国際問題というのはそれだけで決まる問題ではありません。やはり海上保安庁あるいは海上自衛隊の皆さんがあそこで頑張ってくれている、それが国の守りということです。**一つ間違うと、先ほど言った恐ろしい「国際社会の論理」が働きます。つまり究極のところ「力の論理」によって決まるということです。**場合によると、血が流れる、という覚悟が求められる事態にもなりうるわけです。今も一触即発に近い状態ですから、残念ながらもしかすると「武力衝突もありうべし」と考えておかねばならないわけです。「いずれ、もしかしたら……」。決して口に出しては言わないけれども、そんな思いが、いま日本人の多くの人の感覚に、静かに、しかしひしひしと押し寄せてきているように思います。これが、日本の日本たるゆえんだと私は思います。日本人はこうしたことを経てようやく、いま戦後初めて「国民」になろうとしているのかもしれません。ここで日本人が本当の意味で目覚めるかどうか、試されているのです。

先年、大変注目すべきニュースが新聞に出ていました。海上保安庁が、人員が足りないので、若い海上保安官の就職採用試験の募集をしたら、ふだんの二・五倍の応募者があったというのです。

日本の国が本当に危うくなったら、身を挺（てい）しても国を守るという気運が日本の若者の中から自然発生的にわいてきているのかもしれません。これは嬉しい驚きです。正直言うと私も、「今の若い人では、とてもダメだろう」と思っていましたが、昔から日本人のＤＮＡに受け継がれてきた「防人（さきもり）の血」が残っていたのでしょうか。これを「防人のＤＮＡ」と言った人もいます。

近年、彼らの最大関心事は、決してはっきりと口に出して言うわけではなくても、日本を取り巻く安保危機、とくに北朝鮮や中国との関係をめぐる問題です。

今までならば、たとえば尖閣諸島の問題が起こると、「何か領土問題があって、中国も主張していて日本も主張していて、主張がどこかでぶつかっている。話し合えば、いずれ解決できるだろう」と、十年くらい前は、そういう報道やそういう日本人一般の受けとめ方だったと思います。しかし、これは徐々に、しかし確実に変わってきました。

私は、もう二十年以上前の一九九〇年代から中国の本当の狙いを考えれば「尖閣諸島は必ず紛争化する。このまま放置したら本当に危ないことになりますよ」とメディアを通じ、あるいはいろいろな機会を通じて、くり返し言ってきました。ですから、現状のようなことになってしまっても、専門家としては「だから言ったでしょう」という言葉しかないのです。

実際、私は世界秩序の行方や多くの国際問題に関して、二十年以上前から、情勢の悪化や危機の発生について、ずっと警鐘を鳴らしてきましたが、日本人の多くはいっこうに目覚めようとしませんでした。ですから、私の立場からすれば最近の日本には、何が起ころうと「だから言ったでしょう」としか言いようがないのです。しかし一人の日本人としては、「自分にはわかっていたんだ」と言うだけで終わってしまったらそれこそ無責任です。こうなった以上は、日本という運命共同体の一員として、みんなと一緒に何とか解決を図っていかなければなりません。それが、専門家や知識人としての立場を超えた、日本国民の一人としての責務だと思っています。

靖國参拝で見えたもの

平成という時代にはさまざまなことが起こりました。くり返しますが、専門家として私は早くから予測しておりましたが、日本の政府やマスコミも含め、日本周辺の国際環境がここまで悪化するとは多くの日本人は予想していなかったかもしれません。ただここで二〇〇〇年代に入ってから、多くの日本人にそれを予感させた予兆のような出来事はありました。それが国民意識の中で靖國神社の存在が浮上してきたことでした。

靖國問題には多くの側面があり、改革されねばならない課題がたくさんあります。しかし、二十一世紀に入った頃に、日本の将来の予兆を示すような形で国民の関心が高まった時がありました。その一つが、次のようなことではないかと思うのです。それは今、思い起こすと誤解を恐れずに言えば、一旦、やり始めれば首相の靖國参拝は、精神的な次元では「国防の第一線」という意味があって、あの時の靖國をめぐる問題の浮上は、むしろ迫り来る「日本の危機」の到来に警鐘を鳴らしてくれていたのではないか、とさえ思えるということです。

すなわち二〇〇一年に小泉純一郎首相（当時）が靖國参拝を始めたあの頃から中国、韓国が、日本に対してかつてない居丈高な姿勢で強い干渉を始めました。その裏では、バブルの崩壊で日本の国力の低下が始まり、水面下で日本の外交上の失態や国防の危機が進行していたことがあったのでしょう。

たとえば二〇〇五年、今日のような尖閣諸島の問題もまだあまり表面化していないときに、一足早く靖國神社をめぐって、首相の参拝がひときわ大きな問題になっていました。そんな中で、日本が国際連合の安保理事会の常任理事国に立候補するという動きが出てきました。この二つの問題をめぐって、中国国内で大規模な反日デモが起こりました。上海市内でも一万人を超えるデモ隊が日本総領事館周辺の目抜き通りを占拠して、さらに北京の日本大使館にも上海の総領事館と同様の乱暴狼藉を働き、各地で日の丸を燃やし、日本商店を襲撃し、日本人の何人かが襲われました。あのとき、多くの日本人、とくに経済界を中心とした日本のリーダーの中には、「靖國参拝なんかするからこんなことが起こるんだ」という調子で、小泉さんの参拝を批判した有名人がたくさんいました。

そういう人たちが、尖閣をめぐってどんなことを言っていたでしょうか。日本の経済界を代表するような方がたとえば北京に行って、「日本政府は『領土問題は存在しない』などと言っているが、そんなばかなことは理解できない。中国が問題だと言っているんだからこれは問題なんだと認めて話し合いをすべきだ」ということを言っています。自分の国の政府の政策を「理解できない」と、一般の日本人が言うならまだしも経済界を代表するような方が相手国に行ってそんなことを言っていました。他にも、そんなことを中国に行って公言している著名人が何人もいました。これは諸外国ではまず起こりえないことです。

そして二〇〇五年には、もっとびっくりするようなことも起こりました。歴代の何人もの総理大臣経験者が小泉さんの参拝に文句をつけたのです。この国は、すでに「頭から腐っていた」とすら思わざるを得ませんでした。

小泉首相が靖國に参拝することを「個人の好み」の問題で、あの人は好きだから行っているけど、そんなことをされるとうちの商売は台なしだ、と言っていた経済界のリーダーがたくさんいました。いずれも有名企業の経営者でした。そうして、中国の肩をもって靖國参拝を批判してきたのに、何と、その後の反日暴動では中国全土の多数の所で集中的に襲撃されていました。日頃、不用意に〝中国の代弁者〟になってきたから、今回も「尖閣は諦めろと日本政府に言え」とばかりに圧力をかけられたのでしょう。これが中国大陸の現実です。

ふだん日本の経済人などが**いかに日中の友好平和を望んでいても、相手は、それを逆手にとって利用し要求を掲げて一層、押し込んでくることもある。そもそも、安定した日中の友好を望むなら、中国という国の体制つまり中国共産党の本質を見きわめ、その中で日中が接近する時もあれば、衝突することもある、そうした可能性をつねに見据えて、何が起こっても冷静に対応し、一人の日本人として恥ずかしくない行動をとるよう心がけていなければなりません。これは、どこの国が相手でも潜在的につねに起こり得ることなのです。**

過去の歴史に鑑みて、日本人が日中の平和と友好を素直に求めるのは大変重要なことです。しかし同時に、国と国との間にはいつ対立が生まれるか、わかりません。そういう時には、これまで、日本の経済人の多くは、「中国の嫌がることはするな」「刺激するな」「そうすれば日中で紛争は起こらない」、こういうレベルでしか発想がなかったのだと思います。こういう人たちは、やがて「尖閣は中国と折半したほうがよい」と言い出すかもしれなかったのです。

しかし、この何年かで、こうした状況がかなり大きく変わってきました。バランス感覚にすぐれた日本人はここでも成熟してきている証だと思い、私はなお、この点に希望を持っています。

グローバル化を言う人は幼稚

いずれにしても、国を守るために命を投げ出された人々の慰霊の場の一つに総理大臣が赴く。そのことについて大声で批判したりするような日本人が、――百歩譲って、日本国内で批判するのはよいとしても――外国に出て行ってまさか「日本政府を批判しますから、私の商売を守ってください」と、相手国の政府や国民に言えないでしょう。やはり、そういうときに自分の商売を守ってくれるのは自分の国しかないのです。最後は、国家あっての企業なのです。日本の経済人にはこのことを、しっかりとかみしめてもらいたいと思います。

もちろん、日本の大半の経済関係者はよくわかっておられると思っていますから、ごく一部の経済人でしょうが、これまでそういう、世界の常識をわきまえない声が意外に大きかったように思います。しかし、それもここへ来て、徐々に変わり始めました。これは、経済のグローバル化がどれほど進んでも、やはり、国家という後ろ盾があっての経済活動だという当たり前のことに、ようやく日本の経済界全体の認識も深まってきたことの表れかもしれません。

くり返しますが、そもそも、こうしたことは世界の常識だったのです。たとえば、会社は、会社の経営資金を集めるためのいろいろな社債を発行します。その社債の信用度を示す格付というのは、その企業が属する国の国債の格付よりも上になることは絶対にないのです。その国の国債の格付はこうだから、その国に属する企業としてその会社の社債はこれぐらいしか格付はできない、というのが現在のグローバル市場でも基準とされています。いくら、グローバル化したといっても、人も企業も「どこの国に属しているのか」ということがどこまでもついて回るのです。このことを忘れてボーダーレスだ、グローバル化だ、世界中が一つの市場だと言っている人は、目先の毎日、毎日の「市場の動き」だけが本当の世界なのだと思い込んでいる幼稚な人たちだと思います。

あの時、靖國参拝があれほど問題になり、日本国内でもいろいろな議論になりましたが、小泉さんは最後まで参拝を貫徹しました。そのことによって近年、日本国内では若い人を中心に、この問題は中国がいろいろ文句をつけてきてもやはり日本の国としての「主権に関わる問題」であり、中国の口出し、韓国の口出しを唯々諾々と聞いていいのだろうかという問題意識を持ち出しました。そして、これらの国々が言っている歴史上の言い分というものも本当に正しいものなのだろうか。たしかに戦前・戦中の日本は愚かなことや責められるべきことも多々あっただろうが、ここはもう一度、自分の眼で一から歴史を考えてみなければいけない、と多くの日本人が思い始めました。

たとえば、戦前の歴史の問題について、もう一回勉強し始める人が、あれ以来、たくさん増えました。そもそも世界を見回してみて、国のために命を捧げた人たちの慰霊顕彰などはおよそどこの国もやっています。韓国も、中国も、もちろんアメリカもヨーロッパ諸国もみんなやっている話だとわかってきました。日本だけがそれをやって何で悪いのか。靖國神社にはどんな問題があるのか。戦前の歴史で果たして日本だけが悪いことをしたのか。また、具体的に当時の日本は何が誤っていたのか。老いも若きも多くの日本人がいろいろな歴史の本を読み始めました。また尖閣諸島の問題が起こって、向こうの国が言っている「日本の侵略」の歴史とは、こういう意味だったのか、「やっとわかった」と理解を深めた人が今、この日本でかつてなく増えています。

たとえば、数年前、国連総会で中国外相がこういう演説をしていました。「日本は、尖閣諸島を日清戦争で中国から盗み取った。カイロ宣言に従ってこの尖閣諸島を中国に返還しなければならないのに、日本はずっとあの島を盗ったままだ」と。そして、「『反ファシズム戦争』（共産主義の国は日本でいう大東亜戦争、太平洋戦争のことを反ファシズム戦争といいます）の成果を、日本はいまだに否定して守ろうとしない。敗戦によって日本の領土としては取り上げられたものなのに、いまだに占領している」と。中国の外相が、こういう虚偽の歴史を国連の場で演説していました。

あれを見て、多くの日本人は中国や韓国の言う「歴史認識」ということが、よくわかったのではないでしょうか。いまだに中国の外相も共産党のメディアも言い立てていることですが、「尖閣を日清戦争のどさくさに紛れて日本が盗み取った」「日本は（カイロ宣言を引き継いだ）ポツダム宣言で放棄したはずの尖閣諸島をいまだに占領している」というのは、二つとも明らかに間違いです。日本の尖閣諸島領有は、日清戦争とは関係ありません。日清戦争の十年前、一八八五（明治十八）年から、日本は尖閣諸島が「無主の土地」、つまりどこの国の領土でもない、ということを日本政府が各国政府宛てに確認の外交手続きをした後に領土に編入しています。その編入手続きをとったのが、たまたま日清戦争中であったということです。ですから、台湾のように戦争が終わった後で結ばれた講和条約（下関条約）で中国から武力で割譲させたものではありません。

よく吟味して反論することが大切

中国の歴史解釈はしばしば、自分に有利なように（この場合は、台湾と尖閣を）あえて混同し歪曲する傾向があります。これは大陸文化にありがちな馬馬虎虎（日本語の「大ざっぱに」というような言葉）といいますか、何でも超がつくほどのアバウトさ、というか、とてもいいかげんな中国式の歴史解釈なのかもしれませんが、これは中国のいう「歴史の真実」というのはしばしば、こういうことだと、よくわかる例ではないでしょうか。

「南京で三十万人の大虐殺」があったとか、盧溝橋事件は日本の意図的な侵略だったとか、いろいろなことを言いますけれども、この人たちの言う「歴史」というのはこういう非常に大ざっぱな、しかも大変身勝手なもので、場合によると、事実をねじ曲げているものだということを多くの日本人が、ようやく思い知ったと思います。だから、それを唯々諾々と聞いていてはならず、必ずよく吟味して必要があれば自分の眼で調べ直し遠慮なく反論しなければいけないのです。

彼らが言ってきた「歴史」というのは、一体どんな歴史なのか、そもそもそれについての確かな証拠はどこにあるのか、と今後はいちいち全部検証しなければならないでしょう。

日本人のように、細かな事実まで非常に大切にし、きちんとした真実を求め、たとえ自らに不利なものでも、「事実に即した歴史」というものを何よりも尊ぶ心というのは、残念ながら朝鮮半島を含め東アジアではなかなか共有し難いのです。私は、そうした近代的で合理的な歴史観を持っているのは、残念ながら今のところ、アジアでは日本とごく一部の国だけだろうと思います。

必ず勝てる

朝鮮半島や中国大陸では、事実というのは道徳上の「真実」のこと、つまり、ここで言う「実」というのは正義の「義」であり、道徳律つまりイデオロギー、思想として正しいか、正しくないかということに、個々の事実は従属すべきであると考える傾向が強いのです。だから、場合によると、**道徳的に正しければ、たとえ事実を曲げてもいい、道徳的に正しければ、事実の検証は厳密でなくてもいいという精神構造をもった文化が支配的なのです。**

ですから、日本人が、中国や韓国とつき合う時は、くり返しますが、彼らの言っていることは、本当に真実なのかどうかを一つ一つ我々自身の目で検証しなければなりません。彼らとの「歴史対話」というのは本当は大変な作業で、何を言われても決して鵜呑みにはせず、つねに厳密な検証というのが必要なのです。

「南京で三十万人大虐殺」や「強制連行による従軍慰安婦」という告発も、本当にきっちり調べ直していくと、多くの場合、あいまいな証拠しかありません。彼らは、言いがかりに近いようなものを平気で「歴史」としてどんどん日本にぶつけてきているのが実態です。このことが近年はっきりしてきたわけです。ほかにもいっぱいあるはずです。先に見たとおり、尖閣諸島の問題ではとても証明できない、すぐに嘘とわかるようなことを中国政府の要人が国際的な場で平気で言い出していますす。私は、これを見て「じっくり取り組めば、日本は必ずこの論争で勝てるな」と思いました。彼らとは腰を据えて歴史論争をすれば必ず勝てると。そして我々の問題は、そのことを広く世界に訴えることだけなのだ、とわかりました。

広く世界に訴えよ

しかし、ここで厄介なことは、彼らはとても「声が大きい」ことです。先ほど申し上げたいろいろな思惑、諸外国に対する働きかけ、駆け引き、術策、こういう一種のあざとい「外交の営み」によって勝負が決まると思っているのかもしれません。したがって、「歴史の戦い」というのも、実は声の大きさという点だけが日本にとって不利な状況なのです。

残念ながら、こうした点では、日本という国は、外交力が非常に乏しいのです。日本の国家と政府は、いまだにこういう国際的な宣伝というか広報に真剣に取り組もうとせず、とくに外務省などはこれまで理由をつけて逃げ回ってきたところがあります。しかし、そのことによって日本は大変不利な立場に置かれ、今や領土まで危うくなろうとしています。

ただし、これだけは絶対的に我々が有利、ということがあります。それは「真実の強さ」です。いくら相手の声が大きくても、絶えざる事実の検証に基づいて、自信を持って本当の真実というものを、確信を持って言い続けることです。今や、それが「この国の守り」の大切な一線になってきました。

このように考えた上での「国の守り」というのが、我々日本という国のあり方、その本来の強みとして最後には出てくるものなのではないかと思います。日本という国のあり方は、真実を尊ぶ心、つまり清く、明るく、そして直き——まっすぐな——心を大切にすることです。あとは、少々の「粘り強さ」があれば必ず勝てます。

それが、日本という国の精神伝統、つまり日本文明の底力でもあります。文明とは何か、とよく聞く人があります。そのとき私は、日本という国は「一つの国で一つの文明圏」をなしている、そういう特殊な存在なんだといつも言います。

世界にはいくつかの文明圏があります。周知のようにヨーロッパやアメリカはキリスト教を基調とする一つの文明圏です。「西洋キリスト教圏」という人があります。あるいは、中近東、中央アジアを「イスラム文明圏」という人があります。あるいは、インド亜大陸を「ヒンズー文明圏」、「インド文明圏」という場合もあります。中国は「中華文明圏」。そういう世界の多くの大文明と並び立って、小さいながら日本は独自の「日本文明」という文明圏を成しているとされています。ただ、日本の場合だけは、一つの国で一つの文明圏を形づくっている特殊な例なのです。

このことは、昔からアーノルド・トインビーなど西洋の文明史学者が言ってきたことで、最近ではアメリカの国際政治学者であるサミュエル・ハンチントンなどもそう言っています。ただ、日本のマスコミや学界などでは、戦後はあまりそれに触れないようになっています。

いずれにしても、こういう「文明」という言葉を使うと何か難しい抽象的な話だと思われますが、**私は文明というのを何かというと端的に言えば、何百年、ときには一千年単位で変わらない、一つの精神構造だと思います。文明を形作り支えるものは、環境や歴史的な条件もありますが、その核心の一つは「人々の心」のありようだと思います。価値観や感性の構造、つまりどんな考え方、感じ方をし、何を大切に思うのか。たとえば事実を大切にするのか、あるいは内心後ろめたくても論争で勝つための主張を大切にするのかです。**

自然との関係も、自然に対してこれを征服しようとする、支配しようとする、もっぱら利用しようとすること、これらが非常に強く出る人々の集団や伝統と、自然とは共生共存していくということに傾きやすく、自然と「折り合いをつける」ということを重視するような人々の集団や心の伝統。端的に言えば、こういうことが文明の個性の違いだと思います。心の向き方、心の構え方ということなのかもしれません。私は、こういうものが独自の存在としての日本という国を、一番根本において成り立たせているものだと思います。

これまでも滅亡の危機が何度もあった

国際政治から見ても、歴史から見ても、日本という国は本当に大変な場所にあります。近代という時代には、島国はむしろ危うい立地なのです。そして世界中を見渡しても日本ほど危ない場所に位置している国はありません。少し歴史を勉強すれば、そんな日本が、よくもまあ、これまで国として生き延びてこられたものだと思います。しかも立派な精神文明の伝統を保ちながら。これまで「滅亡一歩手前」という危ない時がこの国には何度もありました。そして今また、大きな危機が日本に迫っています。すなわち、今のような歴史的危機は、幕末、明治維新に匹敵するものだと思います。

幕末が、なぜあれほど「未曾有(みぞう)の危機」と理解されたのか。それは、前述したように、ほとんどすべての方角から、弱体な日本に一方的に大きな脅威が迫ってきたからです。世界中にあのような危機を乗り越えられた国はほとんどないと言っていいでしょう。つまり、くり返しになりますが、北の方からはロシアが南下し、北海道にまで何度も上陸しています。ロシアは、ユーラシア大陸を支配する世界の大帝国でした。それがどんどん東にやってきて、そして日本付近で南に下りてきました。西からはアヘン戦争で中国を押さえたイギリス、フランスの西ヨーロッパ勢力が、海を越えて長崎、横浜にやってきました。共に「スキあらば」と、幕末の日本をねらっていました。そして太平洋を越えて東の方からはペリーがやってきました（実際の航路はインド洋経由でしたが）。こういう同時に三方からの列強の脅威にみまわれたような国は、当時の世界でもありません。

たとえばインドだと、せいぜい英仏など欧州勢だけが西方の海からやって来ました。中東だと、ロシアが南下してきました。どれか一つか、せいぜい二つでした。しかも日本は、いまだに三方から圧力を受けています。とくに近年は共産党独裁の中国からの圧力も再び大きくなっています。これも十九世紀の清国と同じです。一八八六（明治十九）年には、前述のように中国が日本にはない世界一の巨大戦艦「定遠（ていえん）」「鎮遠（ちんえん）」を二隻もつくり、「親善訪問」と称し長崎から瀬戸内海にまで入ってきて日本を威圧しました。そのときの日本は、まさに臥薪嘗胆（がしんしょうたん）です。「今やれば軍事力で負ける」これは何があっても、歯を食いしばって、ということで国民こぞって防衛力の整備に取りかかったのです。この戦略的な合理主義が十年後の日清戦争での勝利につながったのです。

歴史を学び直す必要

いずれにしても、今日の状況は、日本の国をめぐる掛け値なしの大きな危機です。

しかも経済や財政そして政治も大変な状態です。とくに国の財政・経済も、かつてない状況で決して楽観を許さない状況になっています。そして国防、外交、安全保障を含めた国際政治が大変な危機にあるのは言うまでもありません。財政は破綻寸前で、経済は二十余年にわたるデフレ。日本の経済はどうなるのか、国民生活はどうなるのかといろいろなことが喧しく議論されています。

しかし、三つ目の、国として保たなければならない大切な国の柱、日本人の価値観や教育、つまりは心の問題が一番なおざりになっています。ここが本当は一番危ういのではないでしょうか。ここが危ういから第一の柱の政治外交もおかしい、いわんや経済もおかしいままでバブル崩壊以後何十年も推移してしまったのです。

もう数年前のことになりますが、韓国の李明博元大統領が竹島に不法上陸（二〇一二年）したり、ロシアのメドベージェフ首相（元大統領）が国後島、択捉島など北方領土に不法上陸したりしていました。これらの動きの間には深いつながりがありますけれども、それ以上に重大なことは、やはり領土の問題を論じたら日本人はどうしても「歴史の問題」を論じざるを得ないということです。領土と歴史は一つながりになっているということです。

日本人の教育の問題で今、とくに大切なのは、歴史教育ではないでしょうか。本当に私たちが学校で習った歴史はあのままでよかったのだろうか。あの教科書には書かれていないことをもう一度勉強し直す必要があるのではないだろうか。一部のマスコミがくり返し論じているような歴史の見方をしているとおかしなことになるのではないか。

また中国や韓国は「これこれ、こんな主張をしているけれども」、それは以前に習った歴史と比べてさえも食い違うではないか。「それでも平気で言ってきている」これは一体どういうことなのか。歴史というものは、そういう特定の思想や政治の圧力によって影響を受ける「磁場」というものが働くと、とても大きくねじ曲がるのだ、ということも含め、今ようやく客観的にいろいろなことを学べるようになりました。今、この国の守りで一番大切なのは、新しく本来の歴史を学び直すということだと思います。

いずれにしても、決して性急な、また過激な結論に飛びついてはなりません。冷静かつ謙虚な学びこそ、全ての出発点だということを忘れてはいけないのです。

事実を偽らない道徳心

先ほど述べたように、我々日本人の心はつねに、「清き明き直き心」、つまりここで言う、事実をあくまでも重んじる心です。「国益のためだからちょっとくらい事実をねじ曲げてもいいじゃないか」とか、「たとえ事実に反していても、自分たちの言っていることは日本をやっつけるためだから道徳的に正しいことなんだ」「日本はそもそも侵略国なんだから、その日本をやっつけるためには少々大げさでも、少々事実に反していてもいいじゃないか」というような感性を、我々はとても持てません。嘘だとわかっていることを故意に押し出したら、それこそ自分の心が何か後ろめたい。そして、そういう嘘をついてまで、「勝負」に勝つためだから、ということで歴史の事実をねじ曲げるということは日本はやるべきではありません。ここが日本人の日本人たるゆえんであり、自らの「内なる道徳心」というものです。これが日本という国を支えるのはこの我々の心のあり方なのです。これは世界的に見れば、融通のきかない独特の大変厳しいものです。道徳律の第一の原則は、他人に求めるのなら、まず自分に対しても厳しいものでなければなりません。

「仰いで（は）天に恥じず、伏して（は）地に恥じず」（『孟子』）という昔の言葉があります。自分自身の心に照らして恥ずかしい、心が汚れるという気持ち——

——私は、この感性がそれこそ日本文明の核心にあるもので、我々の祖先はここからいろいろなものを築き上げてきたと思います。日本人の匠の技、ものづくりへのこだわり、その「几帳面さ」はどこから来るかというと、自分自身に嘘がつけないというところから、なのだと思います。そしてその心が、「人のために生きる」ということの強さと尊さを知ることにもつながっているのです。

「日本人の心」が国を守ることに

これは、あの東日本大震災の被災者の振舞いを見ていてもわかります。また、福島第一原発に向かった自衛隊員や消防、警察の人たちも、まったく七十年前、百年前の日本人と変わるところはありませんでした。この「日本人の心」が、最後にこの国を守る最大の支えとなるのです。とりわけ、あの昭和の大戦で散った三百数十

万にものぼる戦争の貴い犠牲者はまさにそうだと思うのです。国としての政策の過ちや作戦・指揮の拙劣さは別にして、あの戦場での、あるいは内地での極限的な状況の中でも、現場であれだけの自己犠牲の精神を払って戦闘などに従事した名もなき一兵士や一国民、そして彼らと心を一つにして戦後再建に尽くした人々がいたからこそ、この列島は戦後もこれまでも何とか守れたのです。そして、我々の今の生活があるのです。

たしかに政治的には敗戦を経験しましたが、戦後も、この軽武装でこれほど危ない地理的位置にある国を、しかもその周りに多くの軍事強国がいっぱいあったのに、日本には簡単に攻めてこようとはしませんでした。日本の国民性をよく知るスターリンや、毛沢東（もうたくとう）、金日成（キムイルソン）も、みんな「日本にうかつに手を出すと危ない」ということを知っていたからです。そして、アメリカでさえ日米安保条約を結んで、日本に「あなたは自分で守らなくていい、僕が守ってあげるから」と〝出血大サービス〟をしてくれたのです。日本が経済大国になるのも助けてくれました。これは何も日本に純粋な好意を持っていたからではなくて、日本は大戦と戦後復興であれだけの団結と自己犠牲を払った国民の国としてすごい国で、こんな国が本当に立ち上がったら怖い、という気持ちからです。日本を自分の足で立たせたら怖い。だから、「守ってあげます」としたのです。

スターリンも、毛沢東も、金日成も、そしてニクソン、レーガン、あるいは父親のブッシュ、このあたりまでは、あの大戦で日本の一兵士が、一国民がどこまで死力を尽くして戦ったかという、そして戦後の焼け跡から立ち上がった日本の庶民の一人一人の雄々しさを本当に身にしみてよく知っていた世代です。彼らには、「日本にうかつに手を出したら大変なことになる」ということが肌身でわかっていました。このことも日本に侵略してこようという動きを具体化させなかった隠れた大きな理由だったのです。

これをアメリカの抑止がきいていたから、日米同盟があったからというのは、政治的な言葉ではそうかもしれませんが、その底にあって本当に国や人間を動かしていく「心の動き」というものを見れば、独裁者や各国関係者の視線は「日本人の心」を見据えていたのです。

しかし、今日、世界の指導者の世代が大きく変わっています。もはや、その時代の日本人の強さ、「人のために生きる」、つまり自己犠牲を喜んで受け入れる「心の強さ」というものの記憶を共有していない世代が今、各国の指導者の世代なのです。習近平やトランプ、プーチンや金正恩（ジョンウン）たちです。そして日本人自身も、三世代にわたる戦後経験の中で、その精神状況も変化している可能性もあります。その中で、日本はどうやって生存を保っていけばいいのでしょうか。かつての「日本のＤＮＡ」というものを、どこまで保っていくことができるのでしょうか。

今や尊い犠牲なしにこの国を守り抜くことはできないのではないか、と思われる時代が再び到来しています。その中で、どうすればこの「日本のＤＮＡ」を保ち続けられるのでしょうか。

日本人の振舞いの基盤には「日本の心」、日本人の道徳心が依然として強く根づいているのではないかと思います。それゆえ、この国の守りを立て直すには、まず「日本の心」を取り戻すことが大切ではないかと思います。その上で、左右のイデオロギー的な思考に色付けられた歴史観のゆがみを払拭し取り去り、新しい世代の日本人の大きな世界観と開かれた国家観を育ててゆく必要があるのではないかと思います。そうすれば国の行方を考える日本人の心が、よりはっきりと甦るはずです。結局のところ、一人一人の日本人がよりバランスのとれた自由で成熟した国を思う「日本の心」の大切さに思いを馳せることだと思うのです。それはまた、日本人の生き方や道徳を支えるものとして、「自分の心を見つめる」という我々自身の目を育てることにつながり、これこそが日本人が人生を生きる道だと思うのです。

PHP文庫版へのあとがき――米中覇権対立の時代を迎えて

本書は二〇一八年の八月に単行本として上梓した『日本人として知っておきたい世界史の教訓』（育鵬社）を元にして、これに大幅に加筆・修正を施した上で、今般PHP文庫の一冊として新たに刊行し直したものです。内容としては近現代の世界を動かしてきた（そして今も動かしている）有力なファクターとしての、いわゆる「覇権」についての著者の見方を、歴史の流れに沿ってわかりやすく論じたものです。それゆえタイトルもそれに即して、今回、『覇権からみた世界史の教訓』と改めることにしました。

具体的には、今日までのおよそ二百数十年にわたる――当初はイギリスの、そしてその後はアメリカの――国際政治や世界秩序に果たした大きな役割、すなわち「パックス・ブリタニカ」そして「パックス・アメリカーナ」と称される世界覇権の実像についての歴史や国際関係の評論になっています。

　覇権とは何か。これを厳密に定義し理論的に議論してゆくと、古くはイタリアの革命思想家のアントニオ・グラムシの「覇権」論（『獄中ノート』などの著作での）や、アメリカの国際政治経済学者のイマニュエル・ウォーラーステイン（『近代世界システム』など）やロバート・ギルピン（『世界政治における戦争と変動』）をはじめとする、多くの精緻な議論が参照されるべきかもしれません。しかし、歴史家としての私の立場は、覇権という現象の最も確かな理解は、それに関わる個々の出来事に反映された歴史の実相を知ることによって得られるのではないか、というものです。また、それによって今後の世界が進んでゆくであろう大きな方向性についても有益な視野が得られるのではないか、と思います。

　前述のように本書の元になった『日本人として知っておきたい世界史の教訓』は二〇一八年の夏に出版したわけですが、その二ヶ月後の同年十月四日に、アメリカのペンス副大統領（当時）が米中関係についての歴史的な大演説を行いました。それは、いまアメリカは世界の覇権国としての地位を中国によって深刻に脅かされており、この「中国の挑戦」には強硬かつ総合的な対抗策をとるべきだ、というものでした。これは前年の十月に開かれた中国共産党の第十九回党大会において習近平総書記が行った、中国は「世界一流の」強国をめざす、という演説を強く意識したものでした。

こうして今、世界は「米中覇権争奪」という世界史の新しい局面を迎えることになったのです。

そこに、二〇二〇年以来の世界的なパンデミックによる大きな混乱と変動も重なり、この米中による長期にわたる超大国競争の行方については、まだまだ歴史として論じるに早過ぎるテーマですが、果たして今後、アメリカの覇権が中国によって取って代わられることになるのでしょうか。この問いを考えるに際しても、本書で取り上げた英・米両国の覇権の歴史や、それらへの「挑戦者」となったフランスや帝政ロシア、二十世紀のドイツや日本そしてソ連などとの覇権争奪をめぐる「世界史のドラマ」について知ることによって、より多くの示唆が得られるのではないかと思います。

「パックス・アメリカーナ」について長年研究してきたイギリス人のピーター・テイラー（ラフボロー大学教授）は、覇権の基礎を支える枢要なファクターとして国力と共に「モラル・アンド・インテレクチュアル・リーダーシップ」、つまり道義的および知的なリーダーシップの有無が、覇権国たりうるか否かを決めるカギであることに言及してる（Peter Taylor, "The 'American Century' as Hegemonic Cycle", in

P.K.O' Brien & A.Clesse eds., Two Hegemonics : Britain 1846-1914 and the United States 1941-2001, Ashgate, 2002, pp.284-302)。このことは、果して中国がアメリカに取って代わり得るかについてだけでなく、そもそも覇権とは何かについて大切な示唆を提起しているように思われます。

最後に、そのような時代に、もはや覇権国を目指すことのない、この日本という国の生き方はいかにあるべきか。それについて、本書はあえて第十章を付け加えて今後の日本の進むべき道について読者の皆さんに考えて頂くよすがとしました。

米中の覇権競争はそれだけで新たに一冊を超える知的営みを要するテーマではありますが、今後はこれを目標にして、さらなる「覇権の世界史」の展開を追ってゆきたいと思っています。

最後に本書の刊行に当って多大の御助力を頂いたＰＨＰ文庫出版課の前原真由美さんに心からお礼を申し上げたいと思います。

二〇二一年九月

著者　中西輝政

著者紹介

中西輝政（なかにし　てるまさ）

1947年、大阪府生まれ。京都大学法学部卒業。ケンブリッジ大学大学院修了。京都大学助手、三重大学助教授、スタンフォード大学客員研究員、静岡県立大学教授を経て、京都大学大学院教授。2012年に退官し、京都大学名誉教授。専門は国際政治学、国際関係史、文明史。1997年『大英帝国衰亡史』（ＰＨＰ研究所）で第51回毎日出版文化賞・第６回山本七平賞を受賞、2002年正論大賞を受賞。

著書に『日本人として知っておきたい外交の授業』（ＰＨＰ研究所）、『中国外交の大失敗』『日本人として知っておきたい「世界激変」の行方』（以上、ＰＨＰ新書）、『日本人が知らない世界と日本の見方』（ＰＨＰ文庫）、『帝国としての中国』（東洋経済新報社）、『日本の「岐路」』『アメリカ外交の魂』（以上、文藝春秋）、『アメリカ帝国衰亡論・序説』（幻冬舎）など多数。

本書は、2018年８月に育鵬社から刊行された『日本人として知っておきたい世界史の教訓』を、改題して加筆・修正したものです。

ＰＨＰ文庫　覇権からみた世界史の教訓

2021年9月23日　第1版第1刷

著者　中西輝政
発行者　後藤淳一
発行所　株式会社ＰＨＰ研究所
東京本部　〒135-8137 江東区豊洲5-6-52
PHP文庫出版部　☎03-3520-9617(編集)
普及部　☎03-3520-9630(販売)
京都本部　〒601-8411 京都市南区西九条北ノ内町11
PHP INTERFACE　https://www.php.co.jp/
組版　有限会社エヴリ・シンク
印刷所
製本所
図書印刷株式会社

ISBN978-4-569-90127-5

PHP文庫

日本人が知らない世界と日本の見方

本当の国際政治学とは

中西輝政 著

「戦争」「革命」「世界秩序」とは何か？

――国際政治のリアリズムから日本の国家像と戦略を説いた、人気の〝京大講義録〟を書籍化！